SJAKIE
en de Chocoladefabriek

Roald Dahl

SJAKIE
en de
Chocoladefabriek

met tekeningen van Quentin Blake
vertaald door Harriët Freezer

De Fontein

Voor Theo

Eerste druk De Fontein, met tekeningen van Faith Jaques, 1968
Vierenveertigste, gewijzigde druk, met tekeningen van Quentin Blake, 1997
Drieënvijftigste druk, 2004

ISBN 90 261 1304 8

Oorspronkelijke titel: Charlie and the Chocolate Factory
Voor het eerst verschenen in de Verenigde Staten in 1964
Voor het eerst verschenen in Groot Brittannië
bij George Allan & Unwin Ltd., London, 1967
Text copyright © Roald Dahl Nominee Ltd., 1964
Illustrations copyright © Quentin Blake 1995
Voor de Nederlandse vertaling:
© 1997 Uitgeverij De Fontein bv, Postbus 1, 3740 AA Baarn
Vertaling: Harriët Freezer

Inhoud

In dit boek komen vijf kinderen voor:

CASPAR SLOK
een gulzige jongen

VERUCA PEPER
een vreselijk verwend meisje

VIOLET BEAUDEREST
een meisje dat altijd kauwgum kauwt

JORIS TEEVEE
een jongen die niets anders doet dan televisiekijken

en

SJAKIE STEVENS
die eigenlijk Jacques heet, DE HELD

1

Dit is Sjakie

Deze twee heel oude mensen zijn de vader en moeder van meneer Stevens. Hun namen zijn opa Jakob en opoe Jakoba.

En déze twee heel oude mensen zijn de vader en
moeder van mevrouw Stevens. Hun namen zijn grootvader Willem en grootmoeder Willemina.

Dit is meneer Stevens. Dit is mevrouw Stevens.
En meneer en mevrouw Stevens hebben een zoontje dat Jacques Stevens heet.

Dit is Sjakie.

Dag, hoe gaat 't? Hoe gaat 't met jou? Allemaal goed?

Hij vindt het leuk om kennis te maken.

De hele familie – zes grote mensen (tel ze maar na) en de kleine Sjakie – woont samen in een pieterklein houten huisje aan de rand van de stad.

Dat huisje was natuurlijk lang niet groot genoeg voor zoveel mensen en ze hadden dan ook een heel moeilijk leven.

Er waren maar twee kamers in het hele huisje en er stond maar één bed in.

Het bed hadden ze aan de vier grootouders gegeven, omdat die zo oud en moe waren. Ze waren zelfs zo moe, dat ze er nooit uitkwamen. Opa Jakob en opoe Jakoba lagen aan de ene kant en grootvader Willem en grootmoeder Willemina aan de andere kant.

Meneer en mevrouw Stevens met de kleine Sjakie sliepen in de andere kamer, zomaar op matrassen op de grond.

's Zomers ging dat nog wel, maar 's winters blies er een ijskoude wind de hele nacht over de vloer en dan was het verschrikkelijk.

En er was geen denken aan om een beter huis te kopen, of een bed. Daar waren ze veel te arm voor.

Meneer Stevens was de enige van de familie met een baan. Hij werkte in een tandpastafabriek, waar hij de hele dag aan een lopende band stond en de dopjes op de tubes tandpasta schroefde, nadat die tubes gevuld waren. Maar een tandpastadopjesschroever wordt nooit erg goed betaald en de arme meneer Stevens, al werkte hij ook nog zo hard en schroefde hij de dopjes als een dolle op de tubes, kon toch nooit genoeg verdienen om maar de helft van de dingen te kopen die zo'n grote familie nodig had. Er was zelfs niet eens voldoende geld om genoeg eten te kopen. De enige maaltijden die ze konden betalen, waren brood met margarine voor het ontbijt, gekookte aardappelen met kool voor 12 uur, en koolsoep voor het avondeten.

Zondags was het een beetje beter. Ze verlangden altijd naar de zondagen, want dan kregen ze wel precies hetzelfde eten, maar ze mochten allemaal nog een tweede portie hebben.

De Stevensen verhongerden dus niet, maar de hele familie (de twee oude grootvaders, de twee oude grootmoeders, Sjakie's vader en moeder en vooral Sjakie zelf) liep de hele dag rond met een akelig hol gevoel in de maag.

Sjakie had er 't meeste last van. En ofschoon zijn vader en moeder vaak hun eigen eten aan hem gaven, toch was het allemaal lang niet genoeg voor een jongen in de groei. Hij verlangde verschrikkelijk naar iets stevigers en lekkerders dan kool en koolsoep. En waar hij het aller-allermeest naar verlangde was... CHOCOLA.

Als hij 's morgens naar school ging, zag Sjakie in de etalages grote stapels chocoladerepen liggen. Dan stond hij stil, drukte zijn neus tegen het glas en staarde, met het water in zijn mond. Heel vaak zag hij andere kinderen romige melkrepen uit hun zak halen en er lekker op knabbelen, en *dat* was natuurlijk een marteling.

Maar eens per jaar, op zijn verjaardag, proefde Sjakie Stevens een beetje chocola. De hele familie spaarde geld voor die speciale gelegenheid, en als de grote dag kwam, kreeg Sjakie altijd een klein chocoladereepje om helemaal alleen op te eten. En iedere keer dat hij die reep kreeg, op zijn verrukkelijke verjaardagsochtend, stopte hij die voorzichtig in een spanen doosje dat hij bezat, en bewaarde hem alsof het een staaf goud was.

14

De eerste dagen keek hij er alleen maar naar, maar hij raakte hem niet aan. En als hij het op het laatst niet langer uit kon houden, maakte hij het papier eromheen in een hoekje een heel klein beetje los, zodat hij een klein stukje chocola zag en dan nam hij een piepklein hapje, net genoeg om de heerlijke smaak door zijn hele mond heen te proeven. De volgende dag knabbelde hij weer zo'n piepklein hapje, enzovoort, enzovoort. Op die manier deed Sjakie langer dan een maand met zijn verjaardagsreepje.

Maar ik heb je nog niet eens het ergste verteld over Sjakie, die meer van chocola hield dan van iets anders. En dat ergste was veel erger dan repen te zien in etalages, of kinderen vlak voor zijn neus repen te zien eten. Het was zelfs het meest tergende dat je je maar voor kon stellen, het was dit:

In de stad, vlak bij Sjakie's huis, stond een ENORME CHOCOLADEFABRIEK.

Stel je dat eens voor!

En het was maar niet gewoon een grote chocoladefabriek, nee het was de reusachtigste en beroemdste van de hele wereld. Het was WONKA'S FABRIEK, het eigendom van een man, Willie Wonka, die de grootste uitvinder en fabrikant van lekkers was, die ooit bestaan had. En wat was het een ongelofelijk geweldige fabriek! Er stond een hoge muur omheen, en grote ijzeren hekken sloten de weg af. De schoorstenen braakten grote rookwolken uit en binnen in de fabriek hoorde je vreemde sissende geluiden. En buiten, honderden meters in het rond, hing een sterke, machtige chocoladegeur.

Twee keer per dag – naar school en terug – moest

15

Sjakie vlak langs de hekken van de fabriek lopen. En iedere keer dat hij er voorbijging, liep hij héél, héél langzaam, hield zijn neus hoog in de lucht en ademde heel diep in, om de zalige chocoladegeur maar goed te ruiken.

O, wat hield hij van die geur.

En o, hoe dolgraag zou hij eens *binnen* in die fabriek gaan om te zien hoe die er van *binnen* uitzag.

2

De fabriek van meneer
Willie Wonka

's Avonds als hij zijn avondmaal van waterige koolsoep op had, ging Sjakie altijd naar de kamer van zijn
vier grootouders om naar hun verhalen te luisteren
en ze daarna goedenacht te zeggen.

Al de grootouders waren boven de negentig. Ze
waren zo verschrompeld als pruimedanten en zo
mager als geraamten, en de hele lieve lange dag, tot
Sjakie binnenkwam, lagen ze stilletjes in bed, twee
aan ieder eind, met slaapmutsen op om hun hoofden
warm te houden, en dommelden zo'n beetje omdat
ze toch niets te doen hadden. Maar zodra de deur
openging en ze Sjakie's stem hoorden: 'Goeden-
avond opa Jakob en opoe Jakoba, en grootvader Willem en grootmoeder Willemina,' gingen ze alle vier
ineens rechtop zitten, hun oude gerimpelde gezichten begonnen te stralen – en ze begonnen te praten.
Want ze waren dol op het jongetje. Het was het enige
plezierige in hun leven, en ze lagen de hele dag op
zijn avondbezoekje te wachten. Dikwijls kwamen
Sjakie's vader en moeder er ook bij en dan stonden
ze bij de deur te luisteren naar de verhalen die de
oude mensen vertelden; en daardoor vergaten ze in

17

dat gelukkige ogenblikje, dat misschien maar een halfuurtje duurde, hoe hongerig en hoe arm ze wel waren.

Op een avond ging Sjakie naar zijn grootouders en zei: 'Is het *echt* waar dat Wonka's chocoladefabriek de grootste van de wereld is?'

'*Waar?*' riepen ze alle vier tegelijk. 'Natuurlijk is het waar! Grote hemel, wist je dát niet eens! Hij is zowat vijftig keer zo groot als alle andere fabrieken.'

'En is Willie Wonka echt de knapste chocolademaker van de wereld?'

'Mijn beste jongen,' zei opa Jakob en hees zich nog wat hoger op zijn kussen, 'meneer Willie Wonka is de *ongelofelijkste, geweldigste,* meest *verbazingwekkende* chocoladefabrikant die ooit geleefd heeft. Ik dacht dat *iedereen* dat wel wist.'

'Ik wist dat hij beroemd was, opa Jakob, en ook dat hij erg knap was...'

'*Knap!*' riep de oude man. 'Hij is veel meer dan dat. Hij is een *tovenaar* met chocola! Hij maakt alles en alles, wat hij maar wil. Is het niet zo, beste mensen?'

De andere drie knikten met hun hoofd langzaam op en neer en zeiden: '*Absoluut* waar, stellig! Zo waar als iets maar zijn kan.'

En opa Jakob zei: 'Bedoel je dat ik je nog nooit het verhaal van meneer Willie Wonka en zijn fabriek heb verteld?'

'Nooit,' zei Sjakie.

'Grote hemel nog aan toe. Dat ik dat vergeten kon!'

'Wilt u het mij nu vertellen, opa Jakob, alstublieft?'

'Dat wil ik zeker doen. Ga maar naast mij op bed zitten, beste jongen, en luister goed.'

Opa Jakob was de oudste van alle grootouders. Hij was zesennegentig en een half jaar oud, en dat is wel zo ongeveer het oudste dat een mens worden kan. Net als alle oeroude mensen, was hij zwak en uitgeput en sprak hij gedurende de dag maar heel weinig. Maar 's avonds als Sjakie, zijn geliefde kleinzoon, de kamer inkwam, dan scheen hij op een wonderlijke manier weer helemaal jong te worden. Alle moeheid viel van hem af, en hij werd even onstuimig en opgewonden als een jongen.

'O, dat is me een man, die meneer Willie Wonka,' riep opa Jakob. 'Wist je bijvoorbeeld dat hij meer dan tweehonderd nieuwe soorten repen uitgevonden heeft, elk met een verschillende smaak, en de een nog zachter, romiger en smakelijker dan de andere?'

'Zo is het,' riep opoe Jakoba. 'En hij stuurt ze naar alle uithoeken van de aarde! Is het niet zo, opa Jakob?'

'En of, lieve, en of! En naar alle koningen en presidenten van de hele wereld. Maar denk niet dat hij alleen maar chocoladerepen maakt, o jee, nee. Hij heeft *fantastische* uitvindingen gedaan, die meneer Willie Wonka! Weet je dat hij een middeltje uitgevonden heeft om chocoladeijs uren en uren koud te houden zonder ijskast? Je kunt het gewoon in de zon laten liggen op een warme dag, desnoods een hele ochtend, en nog smelt het niet.'

'Maar dat is *onmogelijk!*' riep Sjakie en staarde zijn grootvader aan.

'Natuurlijk is het onmogelijk,' riep opa Jakob, 'het is gewoon *belachelijk*. Maar meneer Willie Wonka doet het!'

'Dat is waar,' knikten de anderen, 'meneer Willie Wonka heeft het gedaan.'

'Daar komt nog bij,' zei opa Jakob, en hij sprak heel langzaam zodat Sjakie geen woord zou missen, 'dat meneer Willie Wonka marsepein kan maken die naar viooltjes smaakt, en zachte caramels die iedere tien seconden van kleur veranderen als je erop zuigt, en kleine vederlichte snoepjes die heerlijk op je tong smelten zodra je ze in je mond steekt. Hij kan kauwgum maken die nooit zijn smaak verliest, en bubbelgum die je geweldig groot op kan blazen, tot je er een speld in steekt en het opeet. En volgens een zeer geheim recept maakt hij prachtige blauwe gespikkelde eitjes, die in je mond kleiner en kleiner worden tot er eindelijk niets anders overblijft dan een klein suikeren vogeltje dat op de punt van je tong zit.'

Opa Jakob hield even op en ging met de tip van zijn tong langzaam even langs zijn lippen.

'Het water loopt me in de mond als ik eraan denk,' zei hij.

'Bij mij ook,' zei Sjakie, 'maar ga toch *alstublieft* verder.'

Terwijl ze aan het praten waren, kwamen de vader en moeder van Sjakie stil de kamer in en bleven bij de deur staan luisteren.

'Vertel Sjakie eens van die gekke Indiase prins,' zei opoe Jakoba, 'dat zal hij vast leuk vinden.'

'Je bedoelt prins Pondicherrie?' zei opa Jakob en begon zachtjes te lachen.

'*Stapelgek,*' zei grootvader Willem.

'Maar *geweldig rijk,*' zei grootmoeder Willemina.

'Wat deed hij dan?' vroeg Sjakie nieuwsgierig.

'Luister maar,' zei opa Jakob, 'dan zal ik het je vertellen.'

3

Meneer Willie Wonka en de Indiase prins

'Prins Pondicherrie schreef een brief aan meneer Willie Wonka,' zei opa Jakob, 'en vroeg hem om de lange reis naar India te maken om een kolossaal paleis voor hem te bouwen, helemaal van chocola.'

'En deed meneer Willie Wonka het, opa?'

'Ja, hij deed het. En dat was eventjes een paleis! Er waren honderd kamers in en *alles* was van donkere en lichte chocola gemaakt. De stenen van chocola, de ramen van chocola, de muren en plafonds van chocola, en ook de kleden en de schilderijen, de meubels en de bedden; en als je de kranen in de badkamer opendeed stroomde er warme chocolademelk uit. Toen het klaar was, zei meneer Wonka tegen prins Pondicherrie: 'Ik moet u waarschuwen dat het 't niet lang zal houden, dus u kunt het beter maar meteen op gaan eten.'

'Onzin,' schreeuwde de prins toen, 'ik wil mijn paleis niet opeten. Ik wil niet aan de trap knabbelen of aan de muren likken. Ik ga er fijn in *wonen*.'

Maar meneer Wonka had natuurlijk gelijk. Er kwam een erg warme dag met een gloeiende zon, en daar begon het hele paleis te smelten en heel langzaam in mekaar te zakken, en de malle prins, die zat te dommelen in zijn zitkamer, werd klaarwakker toen hij merkte dat hij rondzwom in een groot bruin kleverig chocolademeer.'

De kleine Sjakie zat heel stil op de rand van het bed en staarde naar zijn grootvader. Zijn gezicht was gespannen en zijn ogen waren zo wijd opengesperd, dat je het wit rondom kon zien.

'Is het *heus* waar,' vroeg hij, 'of houdt u mij voor de gek?'

''t Is echt waar,' riepen alle vier de oudjes tegelijk. 'Natuurlijk is het waar, vraag maar aan wie je wilt.'

'En ik ga je nog iets vertellen dat echt waar is,' zei opa Jakob.

Hij boog zich naar Sjakie toe en dempte zijn stem tot een zacht, geheimzinnig gefluister: *'Niemand... komt... er... ooit... uit!'*

'Waaruit?' vroeg Sjakie.

'En.. niemand... gaat... er... ooit... naar... binnen!'

'Waar binnen?' riep Sjakie.

'In Wonka's fabriek, natuurlijk.'

'Maar, opa, wat bedoelt u?'

'Ik bedoel *fabrieksarbeiders*, Sjakie.'

'Arbeiders?'

'Bij alle fabrieken,' zei opa Jakob, 'zie je 's morgens en 's avonds lange rijen arbeiders de poorten in- en weer uitstromen, behalve bij Wonka. Heb *jij* dan ooit één mens erin zien gaan of eruit zien komen?'

Sjakie keek langzaam langs de vier oude gezichten en zij keken alle vier naar hem.

Het waren vriendelijke, hartelijke gezichten, maar ze keken ook volkomen ernstig. Er was geen spoor van grapjes maken of voor de gek houden te zien.

'Nou, heb *jij* dat soms gezien?' vroeg opa Jakob.

'Ik... ik weet 't heus niet, opa,' stamelde Sjakie, 'altijd als ik langs de fabriek liep, schenen de hekken gesloten te zijn!'

'Precies,' zei opa Jakob.

'Maar er *moeten* toch mensen werken...'

'Geen *mensen*, Sjakie, geen *gewone* mensen tenminste.'

'Maar wie dan wel?' riep Sjakie.

'Aha... zie je wel, daar zit je! Dat is weer een voorbeeld van de slimheid van Willie Wonka.'

'Sjakie, lieverd,' zei mevrouw Stevens bij de deur, 'je moet heus naar bed. Het is voor vandaag genoeg geweest.'

'Maar, moeder, ik *moet* toch horen...'

'Morgen, lieve jongen.'

'Ze heeft gelijk,' zei opa Jakob, 'ik vertel morgenavond wel weer verder.'

4

De geheimzinnige
fabrieksarbeiders

De volgende avond ging opa Jakob verder met zijn verhaal.

'Kijk, Sjakie,' zei hij, 'niet zo lang geleden werkten er tienduizenden mensen in de fabriek van meneer Willie Wonka. Maar op een dag, helemaal onverwachts, stuurde meneer Wonka ze allemaal naar huis, *allemaal!* En ze kwamen nooit meer terug.'

'Maar waarom?' vroeg Sjakie.

'Om de spionnen.'

'Spionnen?'

'Ja. Zie je, alle andere chocoladefabrikanten waren jaloers geworden op de verrukkelijke dingen die meneer Wonka maakte, en ze begonnen spionnen naar de fabriek te sturen om de geheime recepten te stelen. Die spionnen gingen werken in de Wonka-fabriek en deden net alsof ze gewone arbeiders waren. Maar intussen merkten ze precies, terwijl ze daar werkten, hoe de dingen gemaakt werden.'

'En gingen ze dan terug naar hun eigen fabriek om alles te verraden?' vroeg Sjakie.

'Dat moet wel,' zei opa Jakob, 'want spoedig daarna begon Piepelmans fabriek ook ijs te maken dat nooit meer smolt, zelfs niet in de heetste zon – en de fabriek van meneer Steekneus begon kauwgum te maken die nooit zijn smaak verloor, hoe lang je er ook op kauwde. En toen begon meneer Wardeloos in zijn fabriek bubbelgum te maken die je enorm groot op kon blazen, tot je er een speld in stak en het opat. Enzovoort enzovoort. En meneer Wonka rukte aan zijn baard en schreeuwde: "Dat is ontzettend. Ik ben geruïneerd. Overal zitten spionnen! Ik zal mijn fabriek moeten sluiten!" '

'Maar dat deed hij niet,' zei Sjakie.

'En of hij het deed! Hij zei tegen *al* zijn arbeiders dat het hem speet, maar dat ze maar naar huis moesten gaan. Daarna deed hij de grote hekken van de poort dicht en sloot ze af met een ketting. En plotseling lag de geweldige fabriek van Wonka doodstil en verlaten. De schoorstenen rookten niet meer, de machines zoemden niet langer, en vanaf dat ogenblik

werd er geen stukje chocola of snoep meer gemaakt. Geen mens ging erin of eruit, en zelfs meneer Wonka verdween volkomen.

Maanden en maanden gingen voorbij,' ging opa Jakob verder, 'maar de fabriek bleef gesloten. En iedereen zei: "Arme meneer Wonka. Het was zo'n aardige man. En hij maakte zulke ongelofelijke dingen. Maar dat is nu uit. Het is voorbij."

Maar op een dag gebeurde er iets heel vreemds. Heel vroeg in de morgen zag men dunne rookwolkjes uit de hoge schoorstenen van de fabriek komen! De mensen in de stad bleven stilstaan en kijken. "Wat is dat nou," riepen ze, "iemand heeft de vuren aangestoken. Meneer Wonka zal weer begonnen zijn!" Ze holden naar de poort en dachten natuurlijk dat die wijdopen zou staan met meneer Wonka ernaast om de arbeiders te verwelkomen.

Maar nee! De grote ijzeren hekken waren nog altijd gesloten en de kettingen zaten er, net als altijd, voor en meneer Wonka was nergens te zien.

"Maar de fabriek werkt!" riepen de mensen. "Luister maar, je kunt de machines horen! Ze dreunen weer. En je kunt de geur van gesmolten chocola duidelijk ruiken!" '

Opa Jakob leunde voorover en legde zijn vinger, zo lang en dun als een stokje, op de knie van Sjakie en zei zachtjes: 'Maar het allergeheimzinnigste van alles, Sjakie, waren de schaduwen voor de ramen van de fabriek. De mensen op straat konden duidelijk heel kleine donkere schaduwen achter de matglazen ramen zien bewegen.'

'Van wie waren die schaduwen?' vroeg Sjakie vlug.

'Dat is nu precies wat iedereen wilde weten.

"De fabriek zit vol arbeiders," riepen de mensen, "en er is toch niemand naar binnen gegaan! De hekken zijn gesloten! Het is gewoon krankzinnig. Niemand komt er ook uit!"

Maar er was geen twijfel mogelijk dat de fabriek echt werkte,' zei opa Jakob. 'En sedertdien is hij blijven werken, tien jaar achter elkaar. En wat nog meer zegt: de chocola en de suikerwerken die er uitkomen zijn nog veel lekkerder en fantastischer geworden. En je begrijpt, als meneer Wonka nu iets uitvindt, kan noch meneer Piepelman, noch meneer Steekneus of meneer Wardeloos, noch wie dan ook het ooit namaken. Geen enkele spion kan in de fabriek komen om te zien hoe alles gemaakt wordt.'

'Maar, opa, *wie...*' riep Sjakie, *'wie* doet dan al het werk in de fabriek van meneer Wonka?'

'Dat weet niemand, Sjakie.'

'Maar dat *kan niet*. Heeft iemand het wel eens aan meneer Wonka gevraagd?'

'Niemand ziet hem ooit. Hij komt nooit meer naar buiten. Het enige dat er uitkomt zijn de repen, de bonbons en al het andere lekkers. Dat komt uit een speciale valdeur in de muur, netjes verpakt en met de adressen erop, en dat wordt iedere dag door de vrachtauto's van de Posterijen gehaald.'

'Maar, opa, wat voor *soort* mensen werken er dan?'

'Dat, mijn beste jongen,' zei opa Jakob, 'is een van de grootste geheimen van de chocolade makende wereld. We weten maar één ding zeker. Ze zijn heel klein. De vage schaduwen die je soms achter de ramen ziet, vooral 's avonds laat als het licht aan is,

29

zijn van heel kleine mensjes, die niet hoger komen dan mijn knie.'

'Die bestaan niet,' zei Sjakie.

Op dat ogenblik kwam meneer Stevens, de vader van Sjakie, de kamer in. Hij was juist thuisgekomen van de tandpastafabriek waar hij werkte en zwaaide opgewonden met het avondblad.

'Hebben jullie het nieuwtje al gehoord?' riep hij. Hij hield de krant zo dat ze de grote koppen konden lezen. En daar stond:

WONKA'S FABRIEK EINDELIJK TE BEZICHTIGEN VOOR ENKELE GELUKKIGEN

5

De Gouden Toegangskaarten

'Bedoel je dat mensen werkelijk de fabriek in mogen?' riep opa Jakob. 'Lees ons toch voor wat er staat, vlug!'

'Goed,' zei meneer Stevens en vouwde de krant dubbel. 'Hoor maar.'

Laatste Avondnieuws

Meneer Willie Wonka, de geniale chocolademaker, die de laatste tien jaar door niemand gezien is, zond ons heden het volgende bericht:

Ik, Willie Wonka, heb besloten om vijf kinderen – let wel, precies vijf en niet meer – dit jaar mijn fabriek te laten bezichtigen. De vijf gelukkigen zullen persoonlijk door mij worden rondgeleid en zullen alle geheimen en toverkunsten van mijn fabriek mogen zien. Daarna, aan het einde van de rondleiding, zullen ze, als een speciaal geschenk, genoeg chocola en verder

lekkers krijgen voor hun hele verdere leven! Kijk dus uit naar de GOUDEN TOEGANGSKAARTEN.

Vijf Gouden Toegangskaarten zijn gedrukt op gouden wikkels, en deze gouden wikkels zijn verstopt onder de gewone verpakking van vijf gewone chocoladerepen.

Deze vijf repen kunnen overal zijn – in iedere winkel in wat voor dorp of stad van de wereld dan ook – als er maar Wonka's suikerwerken verkocht worden. En de vijf gelukkige vinders van de vijf gouden wikkels, met de Gouden Toegangskaarten erop gedrukt, zijn de *enigen* die mijn fabriek mogen bezichtigen om te zien hoe het er nu van binnen uitziet! Ik wens u allen veel succes en een goede jacht! (was getekend Willie Wonka)

'De man is stapel,' mompelde opoe Jakoba.

'Hij is een genie,' riep opa Jakob, 'hij is een tovenaar! Want denk je eens in wat er nu gaat gebeuren! De hele wereld gaat naar die gouden wikkels zoeken. Iedereen gaat Wonka's repen kopen in de hoop er eentje te vinden. Hij zal meer verkopen dan ooit tevoren! O, wat geweldig moet het zijn om er een te vinden!'

'En stel je voor,' zei grootvader Willem, 'genoeg chocola en lekkernijen voor je hele verdere leven, en gratis! Voor niks!'

'Die zouden ze dan met een vrachtauto moeten bezorgen,' zei grootmoeder Willemina.

'Ik word al ziek bij het idee,' zei opoe Jakoba.

'Onzin!' riep opa Jakob. 'Zou het niet *geweldig* zijn, Sjakie, om een reepje open te maken en daaronder de gouden wikkel te zien glinsteren.'

'Dat zou het zeker zijn, opa,' zei Sjakie treurig, 'maar ik heb geen enkele kans. Ik krijg maar één reep per jaar.'

'Je kunt nooit weten, lieveling,' zei grootmoeder Willemina, 'de volgende week ben je jarig. En jij hebt evenveel kans als ieder ander.'

'Ik vrees dat dat niet helemaal waar is,' zei grootvader Willem, 'de kinderen die de Gouden Toegangskaarten zullen vinden, zijn de kinderen die iedere dag chocoladerepen kunnen eten. En onze Sjakie met zijn ene reep per jaar heeft nauwelijks kans.'

6

De eerste twee gelukkigen

De volgende dag al werd de eerste Gouden Toegangskaart gevonden. De vinder was een jongen die
Caspar Slok heette en het avondblad van meneer Stevens bracht een grote foto van hem op de voorpagina. De foto toonde een negenjarige jongen die zo
verschrikkelijk dik was, dat hij eruitzag alsof hij opge-
blazen was door een krachtige pomp. Grote kwabbige
vetlagen puilden uit ieder deel van zijn lichaam en
zijn gezicht leek wel een monsterlijke deegbal, waaruit twee hebberige krentenogen de wereld inkeken.

De stad waar Caspar Slok woonde, zei de krant, was
helemaal dol van opwinding over zijn held. Vlaggen
wapperden uit elk raam, de kinderen hadden een
dag vrij van school gekregen en er werd een optocht
georganiseerd voor de beroemde stadgenoot.

'Ik *wist* dat Caspar de gouden wikkel zou vinden,'
zei zijn moeder tegen journalisten. 'Hij eet zo *enorm
veel* repen iedere dag dat het haast *onmogelijk* voor
hem was om er *geen* te vinden. Eten is zijn grootste
liefhebberij, weet u, het is het *enige* dat hem interes-
seert. In ieder geval is het heel wat beter dan straat-
schenderij, katapultschieten of vechten, zeg ik altijd

maar. En, nietwaar, hij zou heus niet zoveel eten als
hij doet, als hij er geen behoefte aan had. En chocola
zit trouwens stampvol vitaminen. Wat spannend voor
hem om die prachtige fabriek van meneer Wonka te
gaan bekijken! We zijn geweldig trots op hem!'

'Wat een enge vrouw,' zei opoe Jakoba.

'En wat een afschuwelijke jongen,' zei grootmoeder Willemina.

'Nu zijn er nog maar vier Gouden Toegangskaarten over,' zei grootvader Willem, 'ik ben benieuwd wie *die* krijgt.'

En nu werd het hele land, ja zelfs de hele wereld, aangegrepen door een wilde repenkooprage, waarbij iedereen koortsachtig naar de gouden wikkels zocht. Volwassen vrouwen gingen snoepwinkels binnen en kochten tien Wonka-repen tegelijk, rukten de verpakking er ter plaatse af en gluurden gretig naar een glimpje goudpapier. Kinderen namen hamers, sloegen hun spaarvarkens aan diggelen en renden naar de winkels met handenvol geld. In een stad pleegde een berucht misdadiger een bankoverval met een buit van twintigduizend gulden, en kocht diezelfde middag voor het hele bedrag chocoladerepen. Toen de politie bij hem binnendrong om hem gevangen te nemen, zat hij op de grond tussen bergen repen en scheurde de wikkels eraf met de vlijmscherpe punt van een dolk.

Ver weg in Rusland was een vrouw die Charlotte Russe heette, en die beweerde dat ze de tweede Gouden Toegangskaart gevonden had, maar het bleek een handige namaak te zijn. In Engeland vond de wereldberoemde professor Vuilbuik een machine uit die onmiddellijk aan kon wijzen, zonder dat je de verpakking van de reep af hoefde te halen, of er een gouden wikkel onder verborgen zat. De machine had een mechanische arm, die met geweldige kracht uitschoot en alles greep waar ook maar het minste goud aan zat, en één ogenblik dacht iedereen dat de oplossing gevonden was.

Maar ongelukkig genoeg schoot de machinale arm

uit, juist toen de professor bij een stapel repen wilde beginnen, en greep de gouden vulling van een achterafkies van een hertogin, die toevallig in de buurt stond. Het werd een heel schandaal en de machine werd kort en klein geslagen door de menigte.

Plotseling, één dag voor Sjakie's verjaardag, kondigden de kranten aan dat de tweede Gouden Toegangskaart gevonden was. De gelukkige was deze keer een meisje dat Veruca Peper heette en met haar rijke ouders in een verre stad woonde. Weer stond er een foto van de gelukkige vindster in de krant. Ze zat tussen haar stralende ouders thuis in de zitkamer en

zwaaide de gouden wikkel boven haar hoofd, terwijl ze van oor tot oor grijnsde.

Veruca's vader, meneer Peper, had gretig uitgelegd aan de journalisten hoe het allemaal gegaan was: 'Kijk, jongens,' had hij gezegd, 'zodra mijn kleine meisje zei dat ze eenvoudig zo'n Gouden Toegangskaart *moest* en *zou* hebben, ben ik gewoon naar de stad gegaan en heb daar alle Wonka-repen gekocht waar ik de hand maar op kon leggen. Duizenden moet ik er gekocht hebben, honderdduizenden! Ik liet ze per vrachtauto naar mijn eigen fabriek rijden, want ik zit zelf in de apenotenbusiness, weet je wel, en nou heb ik zo'n honderd vrouwen voor me werken op de zaak, om alle pinda's te pellen en te roosteren en te zouten en zo. Dat doen ze de hele dag, hè, die vrouwen, pinda's pellen en zo. Dus ik zeg tegen ze: "Meisjes," zeg ik, "van nu af geen apenoot meer pellen, maar de wikkels van al deze gekke chocoladerepen afhalen." Nou, en dat deden ze. Elke arbeider en arbeidster van de fabriek heb ik aan 't werk gezet om van 's morgens tot 's avonds op volle kracht wikkels van de repen te rukken.

Maar drie dagen gingen voorbij, en nog niks. O, dat was me wat. Mijn arme Veruca werd hoe langer hoe zenuwachtiger. Telkens als ik thuiskwam begon ze tegen mij te gillen: *'Waar is mijn Gouden Toegangskaart. Ik wil mijn Gouden Toegangskaart!'* En ze lag urenlang op de grond te trappelen en te krijsen, zodat we allemaal erg ongerust werden. Wel, heren, het was voor mij zo afschuwelijk om mijn kleine meisje zo verdrietig te zien, dat ik zwoer dat ik net zo lang zou zoeken tot ik vond wat ze wilde. En toen opeens... tegen de avond van de vierde dag, schreeuwde een van mijn arbeidsters: "Ik heb 'm, ik heb de Gouden Toegangskaart!" En ik zei: "Gauw, geef hier!" en dat deed ze, en ik rende ermee naar huis en gaf hem aan mijn lieveling Veruca, en nu lacht ze de hele dag en we hebben weer een heel gelukkig gezinnetje.'

'Dat is nog erger dan die dikke jongen,' zei opoe Jakoba.

'Ze moest een flink pak slaag hebben,' vond grootmoeder Willemina.

'Ik vind eigenlijk niet dat de vader van het meisje het helemaal eerlijk gedaan heeft, vindt u wel, opa?' zei Sjakie.

'Hij verwent haar,' zei opa Jakob, 'en er kan niets goeds van komen een kind zo te verwennen, Sjakie. Let op mijn woorden.'

'Kom, lieverd, nu slapen,' zei Sjakie's moeder, 'morgen ben je jarig, vergeet dat niet, dus je zult wel vroeg op willen zijn om je cadeau open te maken.'

'Een Wonka-reep,' riep Sjakie. 'Ik krijg toch een Wonka-reep!'

'Ja, mijn schat,' zei zijn moeder, 'natuurlijk.'

'O, zou het niet fantastisch zijn als ik de derde Gouden Toegangskaart erin vond?' zei Sjakie.

'Breng hem hier als je hem krijgt,' zei opa Jakob, 'dan zijn we er allemaal bij als je er het papiertje afhaalt.'

7

Sjakie's verjaardag

'Lang zal hij leven,' riepen alle vier grootouders toen Sjakie de volgende ochtend hun kamer binnenkwam. 'En wel gefeliciteerd.'

Sjakie lachte een beetje zenuwachtig en ging op de rand van het bed zitten. Hij hield zijn cadeau, zijn enige cadeau, voorzichtig in de hand.

WONKA'S ROOMCHOCOLA MET MARSEPEINVULLING stond op de wikkel gedrukt.

De vier oude mensen, twee aan iedere kant van het bed, leunden tegen hun kussens en staarden gespannen naar de reep in zijn handen. Meneer en mevrouw Stevens kwamen ook binnen en keken toe bij het voeteneind van het bed.

Het was doodstil geworden in de kamer. Iedereen wachtte tot Sjakie zijn geschenk open zou maken. Sjakie keek naar de reep en streek er met zijn vingers voorzichtig langs, heel dierbaar en teder; het glimmende papier van de wikkel maakte kleine krakende geluidjes in de kamer.

Mevrouw Stevens zei vriendelijk: 'Je moet niet al te teleurgesteld zijn, lieverd, als je niet vindt wat je zoekt onder die wikkel. Je kunt echt niet verwachten dat je zó zou boffen.'

'Ze heeft gelijk,' zei meneer Stevens.

Sjakie zei niets. Hij hield meer van 'geluk' dan van 'gelijk'.

'Je moet maar denken,' zei opoe Jakoba, 'dat er in de hele wijde wereld nog maar drie toegangskaarten over zijn.'

'En waar je vooral aan moet denken,' zei grootmoeder Willemina, 'is dat je, wat er ook gebeurt, altijd nog de chocola overhebt.'

'En nog wel Wonka's roomchocola met marsepein-vulling,' riep grootvader Willem. 'Dat is de allerlek-kerste. Je zult ervan smullen.'

'Ja,' fluisterde Sjakie, 'dat weet ik.'

'Kom, en nu denken we niet meer aan gouden wik-kels, maar we gaan gewoon genieten van de chocola,' zei opa Jakob.

Ze wisten allemaal dat het belachelijk was om te verwachten dat in dat ene ongelukkige reepje de geweldige kans zou zitten, en ze probeerden zo zacht als ze maar konden Sjakie op de teleurstelling voor te bereiden. Maar er was één ding dat ze ook wisten: hoe klein de kans ook was, hij wás er!

Deze ene reep had evenveel kans om de gouden wikkel te hebben als alle andere repen.

Daarom waren alle grootouders en ouders in de kamer eigenlijk even gespannen en opgewonden als Sjakie, al deden ze net alsof ze heel kalm waren.

'Kom, maak hem maar open, anders kom je nog te laat op school,' zei opa Jakob.

'Je kunt het maar beter achter de rug hebben,' zei grootvader Willem.

'Doe maar open, lieve jongen,' zei grootmoeder

41

Willemina, 'alsjeblieft, maak 'm open, ik word er helemaal trillerig van.'

Heel langzaam scheurden Sjakie's vingers een klein hoekje van de wikkel af.

De oude mensen in het bed leunden voorover en strekten hun magere halzen.

Dan opeens, alsof hij de spanning niet langer verdragen kon, scheurde Sjakie de hele wikkel doormidden, en op zijn schoot viel... een lichtbruine room-

kleurige chocoladereep. Geen spoor van een gouden wikkel.

'Ziezo, dat was dat,' zei opa Jakob opgewekt. 'Precies wat we allemaal verwachtten.'

Sjakie keek op. Vier oude gezichten keken hem aandachtig aan. Hij glimlachte tegen hen, een klein droevig glimlachje, haalde zijn schouders op, nam

42

de reep en hield hem aan zijn moeder voor en zei: 'Hier, moeder, neem een stukje. We zullen hem delen. Ik wil dat iedereen ervan proeft.'

'Ik denk er niet aan,' zei zijn moeder. En de anderen riepen: 'Welnee, we denken er niet aan, die is helemaal voor jou.'

'Toe, alstublieft,' smeekte Sjakie en draaide zich om en stak hem opa Jakob toe.

Maar noch hij, noch een van de anderen wilde één hap nemen. 'Het is tijd voor school, lieverd,' zei mevrouw Stevens, en sloeg haar arm om Sjakie's magere schoudertjes. 'Vlug maar of je komt te laat.'

8

Nog twee Gouden Toegangskaarten gevonden

Die avond stond in de krant van meneer Stevens dat niet alleen de derde Gouden Toegangskaart, maar ook de vierde gevonden was. TWEE GOUDEN TOEGANGSKAARTEN HEDEN GEVONDEN, riepen de krantenkoppen, NU NOG MAAR EEN OVER.

'Mooi,' zei opa Jakob toen de hele familie in de slaapkamer bijeen was, 'laat eens horen wie ze gevonden hebben.'

'De derde gouden wikkel,' las meneer Stevens, en hield de krant dicht bij zijn gezicht, omdat zijn ogen slecht waren en hij geen bril kon betalen, 'de derde werd gevonden door juffrouw Violet Beauderest. De hele familie was erg opgewonden toen onze verslaggever de gelukkige jongedame kwam interviewen. De camera's klikten, de lichten flitsten en de mensen verdrongen zich om een beetje dichter bij het beroemde meisje te komen. En het beroemde meisje stond op een stoel in de huiskamer en zwaaide de Gouden Toegangskaart boven haar hoofd, alsof ze een bus probeerde te laten stoppen. Ze praatte heel snel en heel hard tegen iedereen, alleen kon bijna

niemand verstaan wat ze zei, omdat ze aanhoudend heftig op een stuk kauwgum kauwde.

"Ik ben eigenlijk een kauwgumkauwer," schreeuwde ze, "maar toen ik van die toegangskaarten van meneer Wonka hoorde, hield ik op met kauwgum en begon met chocoladerepen, in de hoop dat ik er eentje zou vinden. En nou ga ik natuurlijk weer kauwgum kauwen, daar ben ik *gek* op. Ik kan er niet buiten. Ik kauw de hele dag door behalve op etenstijd, dan haal ik 't even uit mijn mond en plak het achter mijn oor. Om je de waarheid te vertellen zou ik me niet *lekker* voelen als ik niet de hele dag kauwgum in mijn mond had, echt niet. Mijn moeder zegt dat het niet damesachtig is en dat het lelijk staat als de kaken van een meisje de hele dag op en neer gaan zoals de mijne, maar ik ben het niet met haar eens. En wat heeft zij eigenlijk te vertellen als *haar* kaken ook de hele dag op en neer gaan, net als de mijne, omdat ze iedere minuut van de dag tegen mij staat te schreeuwen."

"Kom, kom, Violet," zei mevrouw Beauderest vanuit de hoek van de kamer, waar ze op de piano geklommen was om niet door de menigte onder de voet gelopen te worden.

"Maak je niet dik, moeder," schreeuwde juffrouw Beauderest. "En nu kan ik jullie nog wat vertellen," zei ze tegen de journalisten, "wat je vast interessant vindt, en dat is dat ik ditzelfde stukje kauwgum nu al *drie hele maanden* in mijn mond heb. Dat is een record. Ik heb het record van mijn vriendin Cornelia Prinsetatel gebroken. En kwaad dat ze was! Het is nu mijn kostbaarste bezit geworden. 's Nachts plak ik het op de rand van mijn bed, vlak bij mij, uit angst voor dieven, en dan is het de volgende dag nog even lekker. Eerst is het een beetje hard, maar dan kauw ik er eventjes flink op, en dan is het weer even goed als eerst. Voordat ik dit wereldrecord kauwde, nam ik telkens een nieuw stukje kauwgum. Dat deed ik altijd in de lift. En weet je waarom? Omdat ik het kleverige stukje gum dat ik wegdeed altijd op de knopjes van de lift plakte. De mensen die na mij kwamen en op het knopje drukten, kregen dan mijn kauwgum aan hun vingers. Haha! Lollig, wat! En sommigen maakten dan een lawaai! Vooral vrouwen met dure handschoenen aan, daar kon je een hoop plezier aan beleven. O ja, ik vind het hartstikke goed om naar de

46

fabriek van meneer Wonka te gaan. Vooral omdat ik na afloop genoeg kauwgum krijg voor mijn hele leven. Hoera! Mieters!'' '

'Wat een *misselijk* kind,' zei opoe Jakoba.

'Afschuwelijk,' zei grootmoeder Willemina, 'die komt nog eens slecht aan haar eind met al dat gekauw, let maar eens op.'

'En wie kreeg de vierde Gouden Toegangskaart, vader?' vroeg Sjakie.

'Laat me eens even kijken,' zei meneer Stevens en tuurde op de krant. 'O, hier is het. De vierde gouden wikkel,' las hij, 'werd gevonden door een jongen, Joris Teevee.'

'Weer een jongen van niks, wed ik,' mompelde opoe Jakoba.

'Niet in de rede vallen, opoe,' zei mevrouw Stevens.

'De Teeveefamilie,' zei meneer Stevens, die verder las, 'had al evenveel bezoek als de andere drie families. Een massa opgewonden mensen verdrong zich in het huis toen onze verslaggever aankwam, maar Joris Teevee, de gelukkige winnaar, scheen alleen maar geërgerd door de hele zaak.

''Laat me toch,'' zei hij nijdig, ''zien jullie dan niet dat ik naar de tv kijk. Ik wou dat jullie me niet stoorden.''

De negenjarige jongen zat voor een machtig tv-toestel, met zijn ogen aan de beeldbuis gelijmd, en keek naar een film waarin de ene groep misdadigers een andere groep boeven met machinegeweren beschoot.

Joris Teevee zelf had niet minder dan achttien speelgoedrevolvers van verschillende afmetingen aan

47

een riem om zijn middel hangen, en telkens maakte
hij een luchtsprong en vuurde dan een keer of vijf
met een van die wapens.

"Stilte," schreeuwde hij als iemand hem iets probeerde te vragen, "ik zei toch dat ik niet gestoord
wilde worden. Dit programma is hartstikke goed, fantastisch mieters. Ik kijk er elke dag naar. Ik kijk trouwens de hele dag naar alles, zelfs naar rotfilms, waarin niet eens geschoten wordt. Het meest houd ik van
misdadigersfilms. Machtig, die programma's, vooral
als ze mekaar vol kogels schieten, of met scherpe sti-
lettomessen in mekaar snijden of opdoffers geven
met hun gummiknuppels. O jongens, wat zou ik
ervoor geven om mee te doen! Dat is pas *leven*, hartstikke fijn..." '

'Dat is wel genoeg,' zei opoe Jakoba snibbig, 'ik kan het gewoon niet meer aanhoren.'

'Ik ook niet,' zei grootmoeder Willemina. 'Gedragen *alle* kinderen zich tegenwoordig zoals die kleine mispunten waar we over gehoord hebben?'

'Natuurlijk niet,' zei mevrouw Stevens en lachte tegen de oude dame op het bed. 'Sommigen wel, zelfs vrij veel. Maar lang niet *allemaal*.'

'En nu is er nog maar *één Gouden Toegangskaart over,*' zei grootvader Willem.

'Zo is het,' snufte grootmoeder Willemina, 'en zo zeker als ik morgen koolsoep zal eten, zo zeker gaat die laatste kaart ook nog naar een akelig klein mispuntje dat het niet verdient.'

9

Opa Jakob waagt een gokje

Toen Sjakie de volgende dag van school thuiskwam en naar zijn grootouders ging kijken, was alleen opa Jakob wakker; de andere drie waren luid aan het snurken.

'Sstt,' fluisterde opa Jakob, en hij wenkte Sjakie om dichterbij te komen. Op zijn tenen ging Sjakie naar het bed toe. De oude man gaf hem een slim lachje en graaide met zijn hand onder zijn kussen. Toen de hand eronder uitkwam, zat er een ouderwetse beurs in. Onder de lakens deed de oude man de beurs open en hield hem ondersteboven. Er viel een enkel kwartje uit.

'Dat is mijn geheime schat,' fluisterde hij. 'De anderen weten niet dat ik die heb. En nu gaan jij en ik nog één gokje wagen voor die laatste toegangskaart. Nu, wat vind je ervan? Maar jij moet me helpen.'

'Wilt u dat geld er wel *echt* aan besteden, opa?' fluisterde Sjakie.

'Natuurlijk wil ik dat,' riep de oude man opgewonden, 'zeur niet, ik ben er net zo gek op om die toegangskaart te vinden als jij. Hier, pak het geld aan, en nu naar de dichtstbijzijnde winkel en koop de eerste Wonka-reep die je maar ziet, en breng hem bij mij, want we moeten hem samen openmaken.'

Sjakie nam de kleine zilveren munt en liep haastig de kamer uit. In vijf minuten was hij terug.

'Heb je 'm?' fluisterde opa Jakob met ogen die van opwinding schitterden.

Sjakie knikte en hield de chocoladereep omhoog. WONKA'S NOTEN KNAPPER ROOMREEP stond op het omslag.

'Mooi,' fluisterde de oude man, ging rechtop in bed zitten en wreef zich in zijn handen. 'Vooruit, kom hier zitten, dicht bij mij, dan maken we hem samen open. Ben je klaar?'

'Ja,' zei Sjakie, 'ik ben klaar.'

'Mooi. Haal de verpakking er dan maar af.'

'Nee,' zei Sjakie, 'u hebt betaald, dus u moet het doen.'

De vingers van de oude man trilden terwijl hij aan het papier frommelde. 'We hebben toch geen kans,' fluisterde hij en giechelde een beetje, 'weet je, we hebben gewoon geen schijn van een kans.'

'Ja,' zei Sjakie, 'dat begrijp ik wel.'

Ze keken elkaar aan en begonnen allebei zenuwachtig te lachen.

'Maar,' zei opa Jakob, 'er is natuurlijk een *allemachtig* klein pieterkansje dat er misschien een gouden wikkel om *zou* zitten, nietwaar?'

'Ja, natuurlijk,' zei Sjakie, 'waarom maakt u hem niet open?'

'Alles op zijn tijd, mijn jongen, alles op zijn tijd. Aan welke kant zal ik beginnen?'

'In dat hoekje, 't verst van u af. Trek er maar een *heel* klein stukje af, net genoeg om iets te kunnen zien.'

'Zoiets?' vroeg de oude man.

'Ja. Een ietsje meer.'

'Doe jij het maar verder,' zei opa Jakob, 'ik ben te zenuwachtig.'

'Nee, opa, u moet het zelf doen.'

'Vooruit dan maar. Daar gaan we.' Hij rukte de verpakking eraf en zij staarden naar wat eronder zat.

Een reep chocola – verder niets.

Opeens zagen ze allebei het gekke van het geval en ze barstten in lachen uit.

'Hemel, wat gebeurt daar?' riep opoe Jakoba, die wakker schrok.

'Niets,' zei opa Jakob, 'ga maar weer slapen.'

10

De familie begint honger te lijden

De daaropvolgende week werd het plotseling vreselijk koud. Eerst begon het te sneeuwen. Het begon op een ochtend juist toen Sjakie zich aankleedde om naar school te gaan. Voor het raam zag hij de grote vlokken neervallen uit een loodgrauwe hemel.

's Avonds lag het al een halve meter hoog om hun huisje, en meneer Stevens moest een pad graven van hun deur naar de weg.

Na de sneeuw kwam een ijskoude storm, die dagen en dagen doorblies zonder een ogenblik te verminderen. O, wat was dat een ellendige kou.

Alles wat Sjakie aanraakte leek wel van ijs te zijn, en iedere keer dat hij een stap buiten de deur zette, sneed de wind als een mes door hem heen.

Kleine orkaantjes vrieswind kwamen binnenwervelen door de kieren van het raam of onder de deuren door, en er was geen plekje veilig in het hele huis.

De vier oudjes lagen stilletjes tegen elkaar aan in hun bed en probeerden de kou uit hun botten te verdrijven. De opwinding over de Gouden Toegangskaarten was allang voorbij. Niemand in de familie dacht aan iets anders dan aan de twee problemen:

hoe blijf ik warm en hoe eet ik genoeg.

Om de een of andere reden krijg je van koud weer erge honger; de meesten van ons gaan dan aan warme worstjes denken, of aan dampende erwtensoep of gloeiende appelbollen en allerlei andere heerlijke warme hapjes; en omdat wij meer geluk hebben dan die arme Sjakie, krijgen we meestal wat we willen, in ieder geval genoeg om onze maag te vullen.

Maar Sjakie kreeg nooit wat hij nodig had omdat de familie het niet betalen kon, en het bleef maar ijzig koud en hij werd hoe langer hoe wanhopiger en hongeriger. Allebei de repen, die van zijn verjaardag en die van opa Jakob, waren al langgeleden weggeknabbeld en het enige dat hij kreeg was de slappe koolsoep drie keer per dag.

En plotseling werden de maaltijden nog veel slechter, want de tandpastafabriek waar meneer Stevens werkte, ging opeens failliet en sloot. Onmiddellijk probeerde meneer Stevens ander werk te vinden, maar het lukte niet. Ten slotte verdiende hij alleen nog maar een paar centen met sneeuwruimen in de straten.

Maar dat was nog niet eens genoeg om een kwart van het eten te kopen dat zeven mensen nodig hadden.

De toestand werd nu helemaal ellendig. Als ontbijt kregen ze ieder een dun sneetje brood en om 12 uur ieder één gekookte aardappel. Langzaam maar zeker begonnen ze te verhongeren.

En iedere dag als Sjakie Stevens zich door kou en sneeuw heen vocht om naar school te gaan, kwam

hij voorbij Willie Wonka's reusachtige chocoladefabriek. En iedere dag als hij er vlakbij was, stak hij zijn
magere neus hoog in de lucht en snoof de zoete
heerlijke geur van smeltende chocola diep in.

Soms stond hij zelfs een hele tijd doodstil en slikte
zijn adem in alsof hij de geur op wilde eten.

'Dat kind,' zei opa Jakob op een barre koude ochtend en stak zijn hoofd uit de lakens, 'dat kind moet
meer eten hebben. Voor ons geeft 't niet meer, wij
zijn te oud om ons druk te maken. Maar een *jongen
in zijn groei!* Zo kan het niet langer. Hij begint eruit
te zien als een geraamte.'

'Maar wat kunnen we eraan doen,' zuchtte opoe
Jakoba treurig, 'hij wil nooit iets van ons eten aannemen. Zijn moeder probeerde vandaag nog om haar
eigen stuk brood op zijn bord te schuiven, maar hij
wilde het niet aannemen.'

'Hij is een dappere jongen,' zei grootvader Willem.
'Hij verdient een beter lot dan dit.'

De bijtende koude bleef aanhouden.

En iedere dag werd Sjakie Stevens magerder en
magerder. Zijn gezicht werd griezelig bleek en smal.
Zijn huid zat zo strak om zijn wangen, dat je de vorm
van zijn botten eronder kon zien. Het leek alsof het niet
lang meer kon duren of hij zou ernstig ziek worden.

Maar met de merkwaardige wijsheid die kinderen
in moeilijke tijden soms blijken te bezitten, begon
hij zijn leven een beetje te veranderen om zijn krach-
ten zoveel mogelijk te sparen.

's Morgens ging hij tien minuten eerder van huis
om heel langzaam naar school te kunnen lopen, en
nooit te hoeven hollen.

In de pauze bleef hij stilletjes achter in de klas om te kunnen rusten, terwijl de andere kinderen buiten speelden, sneeuwballen gooiden en in de sneeuw stoeiden.

Alles wat hij deed, deed hij traag en langzaam om uitputting te voorkomen.

Op een middag liep hij weer zo langzaam naar huis, met de ijzige wind in zijn gezicht (en toevallig hongeriger dan ooit tevoren), toen hij opeens een klein stukje papier half onder de sneeuw in de goot zag liggen.

Het was grijsblauw van kleur en het leek op de een of andere manier bekend.

Sjakie stapte van de stoep af en bukte zich om te kijken wat het was. Het lag half begraven onder de sneeuw, maar hij zag meteen wat het was.

Het was een tientje!

Hij keek vlug om zich heen. Had iemand het net verloren? Nee, dat kon niet, omdat het half onder de sneeuw lag.

Veel mensen liepen haastig voorbij op de stoep, weggedoken in hun kragen, hun schoenen knarsend over de sneeuw. Niemand keek rond, niemand zocht geld, niemand lette ook maar één ogenblik op het jongetje dat in de goot gehurkt zat.

Zou dat tientje dan *van hem* zijn?

Kon hij het *houden?*

Heel voorzichtig trok Sjakie het onder de sneeuw uit. Het was nat en vuil, maar helemaal heel.

EEN HEEL TIENTJE! Tien hele guldens!

Hij hield het stijf tussen zijn bevende vingers en staarde ernaar. Voor hem betekende het op dat ogen-

blik maar *een* ding. *Eten.* Meteen draaide hij zich om
en liep naar de dichtstbijzijnde winkel, die maar tien
stappen weg was. Het was zo'n winkel die kranten,
sigaretten en snoep verkocht... en wat ging hij in die
winkel *doen,* fluisterde hij in zichzelf... hij ging daar
een heerlijke chocoladereep kopen en die ineens

opeten, *helemaal* opeten, tot de laatste hap... en de rest van het geld zou hij mee naar huis nemen om aan zijn moeder te geven.

11

Het wonder

Sjakie ging de winkel binnen en legde het vochtige tientje op de toonbank.

'Een Wonka's marsepein-gevulde roomreep,' zei hij, want hij dacht aan die heerlijke reep van zijn verjaardag.

De man achter de toonbank zag er dik en weldoorvoed uit. Hij had dikke lippen, dikke wangen en een hele dikke nek. Het vet van zijn nek hing over zijn boord als een rubberring. Hij draaide zich om, greep de reep en gaf hem aan Sjakie.

Sjakie nam hem aan, rukte het papier eraf en nam een grote hap. Daarna nog een hap en nog een... ah, de heerlijkheid om grote stukken chocola zomaar achter elkaar op te eten! Wat een pure zaligheid om je hele mond te vullen met voedzaam eten, en dan zulk heerlijk eten!

'Je ziet eruit alsof je 't nodig had, jongen,' zei de winkelier vriendelijk.

Sjakie knikte, zijn wangen puilden van de chocola.

De winkelier legde het wisselgeld op de toonbank.

'Kalm aan hoor,' zei hij. 'Je krijgt maagpijn als je het al te rap inslikt helemaal zonder kauwen.'

Maar Sjakie kon niet ophouden. Hij ging gulzig door met eten. In een halve minuut was het hele ding in zijn keelgat verdwenen. Hij was er buiten adem van. Maar hij voelde zich verrukkelijk, ongelofelijk gelukkig. Hij stak zijn hand al uit naar het wisselgeld, en aarzelde toen. Zijn ogen kwamen net boven de toonbank uit en hij zag al die guldens en kwartjes liggen. Het leek zoveel. Het zou toch niet zó erg zijn als hij nog één kwartje uitgaf.

'Ik zou...' zei hij langzaam, 'ik zou eigenlijk graag nog zo'n reep willen. Dezelfde soort als de eerste alstublieft.'

'Waarom niet?' zei de dikke winkelier. Hij greep achter zich, nam nog een marsepein-gevulde room-reep van de plank en legde hem voor Sjakie neer. Die nam hem op, trok de wikkel eraf... en *opeens*... daar onder die wikkel... zag hij een schitterende goudglans... Zijn hart stond stil.

'Een Gouden Toegangskaart!' schreeuwde de winkelier en sprong een meter de lucht in. 'Je hebt een Gouden Toegangskaart! Jij hebt de laatste gevonden! Had je dat gedacht! Hé, mensen, kom toch eens kijken! De jongen die vindt me daar de laatste Gouden Toegangskaart van Wonka! Kijk daar! Hij heeft 'm in zijn hand!'

Het leek wel alsof de winkelier een beroerte kreeg, zo opgewonden was hij.

'En dat in mijn winkel!' gilde hij. 'Die jongen ontdekte hem zomaar in mijn winkeltje. Laat iemand vlug de kranten opbellen, alle kranten moeten het weten! Pas op, kijk uit, ventje, scheur hem niet als je de chocola uitpakt! Dat papiertje is kostbaar!'

In een paar seconden stonden er zeker wel twintig mensen om Sjakie heen, en een hoop anderen kwamen van de straat nog naar binnen dringen. Iedereen wilde die Gouden Kaart en zijn gelukkige vinder van dichtbij bekijken.

'Waar is ie?' schreeuwde iemand. 'Houd 't ding eens op, zodat we het allemaal kunnen zien!'

'Hier, hier,' schreeuwde een ander. 'Hij houdt 'm in zijn handen. Moet je dat goud zien schitteren!'

'Hoe lapte *hij* 'm dat. Dat zou ik wel eens willen weten,' riep een grote jongen kwaad. 'Ik heb wekenlang twintig repen per dag gekocht.'

'Moet je denken aan al dat lekkers dat die jongen zal krijgen,' zei een andere jongen jaloers, 'genoeg voor zijn hele leven!'

'Nou, hij kan het best gebruiken, die kleine magere garnaal,' zei een meisje lachend.

Sjakie bewoog zich niet. Hij had de Gouden Wikkel

niet eens van zijn chocola afgehaald. Hij stond daar maar, doodstil, en hield de reep met beide handen stevig vast, terwijl de menigte om hem heen duwde en schreeuwde. Hij voelde zich helemaal duizelig.

Hij had het vreemde gevoel alsof hij in de lucht zweefde als een ballon. Zijn voeten schenen de grond niet meer te raken. Hij hoorde alleen zijn hart luid kloppen ergens in de buurt van zijn keel.

Op dat ogenblik voelde hij een hand op zijn schouder en toen hij opkeek, zag hij een lange man over hem heenbuigen.

'Moet je horen,' fluisterde de man, 'ik wil hem van je kopen. Ik zal je tweehonderd gulden geven. Nou, wat vind je daarvan? En ik geef je er nog een nieuwe fiets bij cadeau. Nou?'

'Ben je *stapelgek?*' schreeuwde een vrouw die even dichtbij stond. 'Ik heb er wel *duizend* gulden voor over. Zeg, wil jij mij die toegangskaart voor duizend gulden verkopen?'

'En nou is 't genoeg,' schreeuwde de dikke winkelier. Hij wrong zich door de menigte en greep Sjakie stevig bij de arm. 'En jullie laten de jongen met rust, hoor je. Vooruit, mensen, opzij! Laat hem door!' En tegen Sjakie fluisterde hij, terwijl hij hem naar de deur bracht: 'Denk eraan, aan *niemand* afgeven, hoor! En zo vlug mogelijk naar huis, en niet verliezen! Loop zo hard je kunt, de hele weg, en niet stilstaan voor je thuis bent, hoor.'

Sjakie knikte.

'Weet je, jongen,' zei de winkelier en hij lachte vriendelijk tegen het kleine ventje, 'ik ben wat blij dat jij hem gekregen hebt. Veel geluk ermee, hoor.'

'Dank u wel,' zei Sjakie, en daar ging hij ervandoor. Hij rende door de sneeuw zo vlug als zijn dunne benen hem maar konden dragen. En toen hij voorbij de fabriek van meneer Willie Wonka kwam, draaide hij zich om, wuifde ertegen en jubelde: 'Tot ziens, tot ziens binnenkort!'

Vijf minuten later was hij thuis.

12

Wat er op de gouden wikkel stond

Sjakie stoof de voordeur in en schreeuwde: 'Moeder, moeder, moeder!'

Mevrouw Stevens was juist in de kamer van de grootouders om ze hun avondsoep te brengen.

'Moeder,' gilde Sjakie en vloog als een stormwind op haar af, 'kijk, ik heb 'm! Kijk, moeder, kijk! De laatste gouden wikkel, die is van mij. Ik vond geld op straat en kocht er twee repen voor, en om de tweede reep zat de gouden wikkel, en er waren massa's mensen die het allemaal wilden zien en wilden kopen en de winkelier heeft me geholpen, en ik heb de hele weg naar huis gehold, en hier ben ik. HIER HEB JE DE VIJFDE GOUDEN TOEGANGSKAART, MOEDER, EN DIE HEB IK GEVONDEN!'

Mevrouw Stevens stond doodstil te staren, terwijl de vier grootouders, die rechtop in bed zaten met een grote kop soep op hun schoot, allemaal kletterend hun lepels lieten vallen en stokstijf tegen de kussens leunden.

Wel tien seconden was het doodstil in de kamer. Niemand durfde te spreken of te bewegen. Het was een betoverd ogenblik.

Toen zei opa Jakob heel zachtjes: 'Je maakt zeker een grapje, hè Sjakie? Je houdt ons zeker voor het lapje?'

'O nee, 't is waar!' riep Sjakie, en hij vloog naar het bed en hield de grote, mooi schitterende toegangskaart voor zijn neus. Opa Jakob boog zich voorover tot zijn neus bijna het papier raakte en bekeek het heel zorgvuldig. De anderen keken toe en wachtten zijn oordeel af. Daarna, heel langzaam, lichtte hij zijn hoofd op en met een stralende lach over zijn hele gezicht keek hij Sjakie recht aan. De kleur stroomde naar zijn wangen, zijn ogen waren wijdopen, schitterend van blijdschap, en midden in elk oog, precies in het midden van de zwarte pupil, danste een kleine vonk van enorme opwinding.

De oude man haalde diep adem en plotseling, zonder enige waarschuwing, ontplofte er iets in hem. Hij hief de armen omhoog en gilde: 'Jippie-ie-ie!' En daar vloog zijn lange broodmagere lijf uit bed, zijn kop soep vloog over opoe Jakoba heen en met een fantastische sprong was die oude heer van zesennegentig en een half jaar, die de laatste twintig jaar niet uit zijn bed was geweest, op de grond en begon een overwinningsdans in zijn pyjama.

'Jippie-ie-ie-ie!' schreeuwde hij. 'Drie hoeraatjes voor Sjakie. Hiep, hiep, hoera!'

Op dat moment ging de deur open en wandelde meneer Stevens de kamer in. Hij was koud en moe en dat was hem aan te zien. De hele lange dag had hij sneeuw geruimd op straat.

'Allemachtig!' riep hij. 'Wat is hier aan de hand?' Het duurde maar even of hij wist wat er gebeurd was.

'Niet te geloven,' zei hij. 'Het is onmogelijk!'

'Laat hem de kaart zien, Sjakie!' riep opa Jakob, die nog altijd in zijn gestreepte pyjama ronddanste als een duveltje uit een doosje. 'Laat je vader maar eens de vijfde Gouden Toegangskaart zien, de allerlaatste van de hele wereld.'

'Ja, laat eens kijken, Sjakie,' zei meneer Stevens, die in een stoel neerviel en zijn hand uitstak. Sjakie gaf hem het kostbare papier. Het was een prachtig ding, die gouden wikkel, die wel van puur goud leek gemaakt. Op één kant stond in pikzwarte letters de uitnodiging van meneer Wonka gedrukt.

'Lees hardop,' zei opa Jakob, die ten slotte weer in bed kroop. 'Laten we eens horen wat er precies op staat.'

Meneer Stevens hield de glinsterende Gouden Toegangskaart vlak bij zijn ogen. Zijn handen trilden licht en hij scheen diep onder de indruk van het hele geval. Hij haalde verschillende keren diep adem, schraapte zijn keel en zei: 'Goed, ik zal het voorlezen. Daar gaan we:

Gegroet, gelukkige vinder van de Gouden Toegangskaart, door meneer Willie Wonka. Ik schud je hartelijk de hand. Er staan je geweldige dingen te wachten, je zult veel grote verrassingen beleven! Want hierbij nodig ik je uit om in mijn fabriek te komen en voor een hele dag mijn gast te zijn, jou en de anderen die zo gelukkig waren om een Gouden Toegangskaart te vinden.

Ik, Willie Wonka, zal jullie persoonlijk door de hele fabriek rondleiden en jullie alles en alles laten zien.

En na afloop, als het tijd is om naar huis te gaan, zul je naar huis rijden met een rij grote vrachtauto's en in die auto's, dat beloof ik je, zit voor jarenlang genoeg heerlijke chocola en andere snoep voor jou en je hele familie.

En mocht je later ooit door de voorraad heenraken, dan hoef je alleen maar je Gouden Toegangskaart te tonen en ik zal dan met het grootste genoegen de voorraad weer aanvullen. Daardoor zul je je hele verdere leven de heerlijkste dingen kunnen eten. Maar dat is nog niet het voornaamste dat je gaat beleven. Voor jou en al mijn andere geliefde Gouden Toegangskaarthouders heb ik verrassingen voorbereid die nog fantastischer en ongelofelijker zijn, geheimzinnige en vreemde dingen die je zullen boeien, verrukken, verbazen en verstomd zullen doen staan. In je stoutste dromen heb je je niet voor kunnen stellen dat je zulke avonturen zou beleven! Wacht maar af, en let op! En nu volgen hier de instructies: De dag die ik voor het bezoek heb uitgekozen, is de eerste dag van februari. Op die dag en alleen dan, moet je 's morgens klokslag 10 uur bij de fabriek zijn. Wees op tijd. En je mag een of twee familieleden meebrengen om op je te passen en te zorgen dat je geen verkeerde dingen doet. En ten slotte: breng vooral deze Toegangskaart mee, anders kom je er niet in.

(Was getekend) Willie Wonka.'

'De eerste februari!' riep mevrouw Stevens. 'Maar dat is morgen! Vandaag is het de laatste januari, dat weet ik zeker.'

'Alle mensen,' zei meneer Stevens, 'je hebt gelijk!'

'Je bent precies op tijd,' riep opa Jakob, 'er is geen ogenblik te verliezen. Je moet je meteen gaan oppoetsen. Was je gezicht, kam je haar, schrob je handen schoon, poets je tanden, snuit je neus, knip je nagels, poets je schoenen, strijk je bloesje en in 's hemelsnaam, zorg dat die modder van je broek af komt. Je moet er piekfijn uitzien, jongen. Je moet kant-en-klaar staan op de grootste dag van je leven!'

'Kom, opa, u moet zich niet zo opwinden,' zei mevrouw Stevens, 'en maak de arme Sjakie niet in de war. We moeten allemaal proberen heel kalm te blijven. Het eerste waar we het over eens moeten worden, is wie er met Sjakie meegaat naar de fabriek.'

'Ik,' schreeuwde opa Jakob en sprong weer – hoep – uit zijn bed. 'Ik ga met hem mee, ik zal goed op hem letten, laat het maar aan mij over!'

Mevrouw Stevens glimlachte tegen hem en keerde zich naar haar man. Ze zei: 'Wat vind jij ervan, lieve man? Vind je niet dat jij eigenlijk mee moest gaan?'

'Ach...' zei meneer Stevens nadenkend, 'nee, ik geloof niet dat ik dat moet doen.'

'Maar je móét wel.'

'Nee, lieverd, ik hoef helemaal niet,' zei meneer Stevens vriendelijk. 'Weet je, ik zou het graag doen, het moet geweldig opwindend zijn. Maar aan de andere kant geloof ik dat opa Jakob het het meest van ons allen verdient. Hij schijnt er heel wat meer van te weten dan wij. Als hij zich tenminste sterk genoeg voelt.'

'Jippie-ie-ie!' schreeuwde opa, greep Sjakie bij de hand en danste met hem door de kamer.

'Ja... misschien heb je gelijk. Misschien is het 't beste als opa Jakob meegaat. Ik kan natuurlijk de drie oude mensen niet de hele dag alleen laten.'

'Halleluja!' gilde opa Jakob. 'De Heer zij geprezen!'

Op dat ogenblik werd er hard op de deur geklopt. Meneer Stevens deed open en een ogenblik later stroomden de journalisten en fotografen het huisje in. Ze hadden de vinder van de vijfde Gouden Toegangskaart ontdekt en nu wilden ze allemaal het hele verhaal horen om in hun ochtendbladen op de voorpagina te plaatsen.

Urenlang was het een complete janboel in het kleine huisje en het was bijna middernacht toen meneer Stevens ze eindelijk kwijtraakte, zodat Sjakie naar bed kon.

13

De grote dag breekt aan

De volgende dag scheen de zon heerlijk, maar de grond was dik besneeuwd en het was ijzig koud. Toch stonden enorme massa's mensen buiten de hekken van de Wonka-fabriek te wachten om de vijf gelukkige kaarthouders naar binnen te zien gaan.

Iedereen was opgewonden. Het was even voor tienen. De mensen verdrongen zich en joelden, en politieagenten met in elkaar gehaakte armen probeerden de menigte van de poort weg te houden.

Vlak bij die poort stond een kleine groep die door de politie tegen het gedrang beschermd werd. Dat waren de vijf beroemde kinderen, met de volwassenen die met hen meegekomen waren. De lange broodmagere gestalte van opa Jakob kon je rustig tussen hen in zien staan, en naast hem, met zijn hand stevig in opa's hand, stond Sjakie Stevens zelf.

Alle kinderen, behalve Sjakie, hadden zowel hun moeder als hun vader bij zich en dat was maar goed ook, anders had het hele feest wel eens uit de hand kunnen lopen. Ze wilden zo graag naar binnen dat hun ouders hen stevig vast moesten houden, anders waren ze over de hekken geklommen.

'Nog eventjes geduld,' riepen de vaders. 'Het is nog geen tijd! Het is nog geen tien uur!'

Achter zich hoorde Sjakie het geschreeuw van de mensen die opdrongen en duwden om een glimp van de beroemde kinderen op te kunnen vangen.

'Daar heb je Violet Beauderest!' hoorde hij iemand schreeuwen. 'Ja hoor, dat is ze. Ik herken haar van de krantenfoto's.'

'En zal ik je eens wat zeggen?' schreeuwde iemand anders terug. 'Ze kauwt nog altijd op die walgelijke

kauwgum die ze al drie maanden in haar mond heeft.
Kijk maar naar haar kaken, die zijn nog altijd aan het
malen.'

'Wie is die grote dikke jongen?'

'Dat is Caspar Slok.'

'En dat is ie.'

'Enorm, hè.'

'Nou, ongelofelijk.'

'Wie is dat jongetje met die cowboy op zijn wind-
jack?'

'Dat is Joris Teevee, die televisiemaniak.'

'Die is vast stapelgek. Moet je die revolvers zien, die hij overal heeft hangen.'

'Ik zou die Veruca Peper wel eens willen zien,' riep een andere stem in de menigte. 'Dat is dat kind wiens vader een half miljoen repen kocht en door de arbeidsters in zijn apenotenfabriek uit liet pakken, net zolang tot ze de Gouden Toegangskaart hadden gevonden! Hij geeft haar alles wat ze maar wil. Je kunt het zo gek niet bedenken. Ze hoeft maar te kikken en ze heeft 't.'

'Erg hè!'

'Ik vind 't misselijk.'

'Wie denk je dat het is?'

'Die daar. Aan de linkerkant. Dat meisje met de zilveren bontjas!'

'Wie is Sjakie Stevens?'

'Sjakie Stevens. Hij zal dat magere garnaaltje zijn, daar naast die ouwe kerel die net een geraamte lijkt. Vlak bij ons. Daar! Zie je 'm?'

'Waarom draagt ie geen jas in deze kou?'

'Weet ik veel. Misschien heeft ie er geen centen voor.'

'Allemachtig, die zal het koud hebben!'

Sjakie, die maar een paar passen van de spreker afstond, gaf opa Jakobs hand een kneepje, en de oude man keek op Sjakie neer en glimlachte.

Ergens in de verte sloeg een kerktoren tien slagen.

Heel langzaam, met veel gepiep van de roestige scharnieren, zwaaiden de grote ijzeren hekken van de fabriek open.

Er viel een plotselinge stilte over de menigte. De

kinderen hielden op met hun gespring.

Alle ogen waren op de poort gericht. 'Daar is ie,' riep iemand. 'Dat is 'm!'

En zo was het!

14

Meneer Willie Wonka

Meneer Wonka stond helemaal alleen in de open poort van de fabriek. En wat een merkwaardig mannetje was hij!

Hij had een zwarte hoge hoed op zijn hoofd. Hij droeg een rokkostuum van prachtig geelbruin fluweel.

Zijn broek was grasgroen.

Zijn handschoenen waren parelgrijs.

En in een hand hield hij een mooie wandelstok met een gouden knop.

Zijn kin was bedekt met een klein puntbaardje: een sik.

En zijn ogen... zijn ogen waren wonderlijk helder. Ze leken je steeds toe te twinkelen en te schitteren. Eigenlijk was zijn hele gezicht één en al vrolijkheid en lach.

En o, wat slim zag hij eruit. Wat kwiek en pienter en vol van leven. Hij maakte voortdurend vlugge rukkerige beweginkjes met zijn hoofd van de ene kant naar de andere kant, terwijl aan zijn heldere tintelende ogen niets ontging. Hij was net een eekhoorn met zijn kwieke bewegingen, net een slimme vlugge oude eekhoorn uit het park.

Plotseling deed hij een grappig huppeldansje, spreidde zijn armen wijd uit en glimlachte tegen de vijf kinderen die dicht bij elkaar bij het hek stonden. Hij riep: 'Welkom, vriendjes, welkom in de fabriek!'

Zijn stem was hoog en schril.

'Willen jullie een voor een naar voren komen, alsjeblieft,' riep hij uit, 'samen met je ouders. Laat me dan je Gouden Toegangskaart zien en zeg me hoe je heet. Wie eerst?'

De grote dikke jongen ging naar hem toe.

'Ik ben Caspar Slok,' zei hij.

'Caspar,' riep meneer Wonka, terwijl hij zijn hand greep en met reuzenkracht op en neer pompte, 'beste jongen, wat fijn om je te zien. Heerlijk! Geweldig! Verrukkelijk om je hier te hebben. En zijn dit je ouders? Prachtig! Kom erin, kom erin! Mooi zo, ja, kom maar binnen.'

Meneer Wonka was kennelijk al even opgewonden als iedereen.

'Mijn naam,' zei het volgende kind dat naar voren stapte, 'is Veruca Peper.'

'Beste Veruca! Hoe maak je het? Wat doet me dat een plezier. En wat een interessante naam heb je! Ik heb altijd gedacht dat een veruca een wrat was die je op je voetzolen kreeg! Maar ik zal het wel weer mis hebben, nietwaar? Wat zie je er lief uit in die bontjas! Wat ben ik blij dat je kon komen! Lieve help, wat een opwindende dag zal dit worden. Ik hoop zó dat je het leuk zult vinden. Vast wel, moet wel! Dit is je vader? Hoe gaat het met u, meneer Peper? En mevrouw Peper? Wat heerlijk u te zien. Ja, de Toegangskaart

is helemaal in orde! Komt u alstublieft binnen.'

De twee volgende kinderen, Violet Beauderest en Joris Teevee, kwamen naar voren om hun kaart te laten zien en hun armen uit het lid te laten pompen door de energieke meneer Wonka.

En als allerlaatste fluisterde een klein zenuwachtig stemmetje: 'Sjakie Stevens.'

'Jacques!' riep meneer Wonka. 'Wel, wel, wel. Dat ben jij dus. Jij was immers de jongen die gisteren pas de Toegangskaart vond, nietwaar? Ja, ja, ik heb het vanmorgen in mijn ochtendblad gelezen. Net op tijd, beste jongen. Wat ben ik daar blij om! En dit? Je grootvader? Prettig kennis met u te mogen maken, meneer. Heerlijk! Verrukkelijk! Mooi zo! Uitstekend! Is iedereen binnen? Vijf kinderen? Ja? Goed zo! Wilt u mij dan maar allemaal volgen? De rondleiding gaat beginnen! Maar bij elkaar blijven! Alsjeblieft, nooit op je eigen houtje gaan rondwandelen. Ik zou niet graag een van jullie kwijtraken in dit stadium van de tocht. O, lieve help, nee!'

Sjakie keek achterom over zijn schouders en zag de grote ijzeren hekken achter zich langzaam dichtgaan. De mensen buiten waren nog steeds aan het dringen en schreeuwen. Sjakie wierp een laatste blik op hen. Toen sloten de hekken en werd de buitenwereld aan zijn oog onttrokken.

'Daar zijn we dan!' riep meneer Wonka, die voor de groep uit galoppeerde. 'Door deze grote rode deur alstublieft. Juist ja! Het is lekker warm binnen. Ik moet het wel lekker warm houden in de fabriek voor de werkers! Mijn werkers zijn aan een uiterst warm klimaat gewend. Zij kunnen niet tegen de kou. Ze zouden omkomen als ze in dit weer naar buiten gingen! Ze zouden doodvriezen!'

'Maar waar zijn die werkers dan?' vroeg Caspar Slok.

'Alles op zijn tijd, beste jongen!' zei meneer Wonka glimlachend tegen Caspar. 'Nog even geduld! Je zult alles onderweg kunnen zien! Iedereen binnen?

Mooi zo. Wilt u misschien even de deur sluiten? Dank u.'

Sjakie Stevens zag dat hij in een lange gang stond, die zich uitstrekte zover hij maar zien kon. De gang was zo breed dat er gemakkelijk een auto in had kunnen rijden. De muren waren bleekroze en de verlichting was gedempt en prettig aan de ogen.

'Wat mooi en lekker warm,' fluisterde Sjakie.

'Nou en of. En wat ruikt het hier heerlijk,' antwoordde opa Jakob, terwijl hij de lucht diep opsnoof.

Al de heerlijkste geuren van de wereld schenen vermengd te zijn met de lucht die hen omgaf: de geur van versgebrande koffie, gesmolten suiker, zachte chocola, pepermunt, viooltjes, gestampte hazelnoten, appelbloesem, caramel en citroenschil...

En in de verte, uit het hart van de enorme fabriek, klonk een gedempt gedreun, alsof een of andere gigantische monstermachine met razende snelheid zijn raderen liet ronddraaien.

'En dit, beste kinderen,' schreeuwde meneer Wonka boven het lawaai uit, 'dit is de hoofdgang. Willen jullie je jassen en hoeden aan die haakjes daar hangen en me dan volgen? Juist. Goed zo! Iedereen klaar? Kom mee. Daar gaan we dan.'

Hij galoppeerde vlug de gang af met de slippen van zijn fluwelen jas wapperend achter zich aan, en de bezoekers volgden hem haastig. Het was eigenlijk een vrij grote groep mensen, als je er even over nadacht. Er waren negen volwassenen en vijf kinderen, veertien allemaal samen. Dus je kunt je voorstellen dat er nogal wat geduw en gedrang was terwijl zij

jachtten om het snelle mannetje bij te houden. 'Vooruit,' riep meneer Wonka, 'kom nou toch alstublieft.
We komen nooit rond als jullie zo teuten!'

Spoedig sloeg hij rechtsaf, een iets smallere gang
in. Toen ging hij linksaf.

Toen weer links.

Toen rechts.

Toen links.

Toen rechts.

Toen rechts.

Toen links.

Het leek wel een reusachtige konijnenberg met
gangetjes naar alle kanten en in alle richtingen.

'Houd mijn hand maar stevig vast, Sjakie,' fluisterde opa Jakob.

'Hebben jullie opgemerkt dat al deze gangen
omlaag lopen?' riep meneer Wonka. 'We gaan nu
onder de grond! Alle voornaamste hallen in mijn
fabriek liggen diep onder de grond.'

'Waar is dat voor?' vroeg iemand.

'Er zou op geen stukken na genoeg ruimte zijn
boven de grond,' antwoordde meneer Wonka. 'De
hallen die we gaan zien zijn enorm. Ze zijn groter
dan voetbalvelden! Geen gebouw in de hele wereld
zou groot genoeg zijn om ze allemaal onder te brengen! Maar hier onder de grond heb ik alle ruimte die
ik nodig heb. Er is gewoon geen eind aan, ik hoef het
alleen maar uit te hollen.'

Meneer Wonka sloeg rechtsaf.

Hij ging linksaf.

Hij ging weer rechtsaf.

De gangen helden steeds sterker naar beneden.

Plotseling stond meneer Wonka stil. Vóór hem was een glanzende metalen deur. De bezoekers dromden om hem heen.

Op de deur stond met grote letters:

DE CHOCOLADEHAL

15

De chocoladehal

'Dit is een belangrijke hal,' riep meneer Wonka, terwijl hij een bos sleutels uit zijn zak haalde en een ervan in het sleutelgat stak. 'Dit is het zenuwcentrum van de hele fabriek, het hart van de hele zaak! En zo mooi! Ik sta erop dat al mijn fabriekshallen erg mooi zijn! Ik kan lelijke dingen in fabrieken niet verdragen! Naar binnen dan maar! Maar wees voorzichtig, kinderen. Houd je hoofd koel. Word niet al te opgewonden! Kalm blijven!'

Meneer Wonka opende de deur. Vijf kinderen en negen volwassenen drongen naar binnen en o, wat een verbazingwekkend schouwspel kregen ze nu te zien.

Zij keken neer op een prachtige vallei. Er waren groene weiden aan weerskanten en in de diepte stroomde een brede, bruine rivier.

Bovendien was er een geweldige waterval halverwege de rivier: een steile rotswand, waarover het water in een brede stroom omlaag stortte en kolkte om zich dan in een ziedende kokende maalstroom van schuim en rondstuivende fijne druppeltjes te storten.

Beneden de waterval, en dat was nog wel het aller-

16

De Oempa-Loempa's

'Oempa-Loempa's!' riep iedereen uit. '*Oempa-Loempa's!*'

'Rechtstreeks geïmporteerd uit Loempaland,' zei meneer Wonka trots.

'Dat bestaat niet,' zei mevrouw Peper.

'Neemt u me niet kwalijk, mijn beste mevrouw, maar...'

'*Meneer Wonka*,' schreeuwde mevrouw Peper, 'ik ben lerares aardrijkskunde...'

'Dan weet u er alles van,' antwoordde meneer Wonka. 'O, wat is dat een vreselijk land! Alleen maar dichte bossen, vergeven van de gevaarlijkste diersoorten ter wereld: duveldotters en hoornsnoskonkels en die vreselijk giftige reuzenbonktor. Een reuzenbonktor eet tien Oempa-Loempa's voor zijn ontbijt en draaft haastig terug voor een tweede portie. Toen ik in die wildernis was, woonden de kleine Oempa-Loempa's in boomhuizen. Ze *moesten* namelijk zo hoog in boomhuizen wonen, om te ontsnappen aan de duveldotters en de hoornsnoskonkels en de reuzenbonktorren. Ze leefden van groene rupsen, en die smaakten zo walgelijk, dat ze elke minuut van de dag doorbrachten met het klimmen in de boomtoppen op zoek naar andere dingen om bij de rupsen te doen om de smaak een beetje te verbeteren, rode kevers bijvoorbeeld, en eucalyptusbladeren, en de bast van de bong-bong-boom, allemaal even vies, maar tenminste niet zó vies als de rupsen. Arme kleine Oempa-Loempa's. Het enige voedsel waar ze meer naar verlangden dan naar wat dan ook was de cacaoboon. Maar die konden ze niet krijgen. Een Oempa-Loempa bofte als hij drie of vier cacaobonen per jaar vond. Maar o, wat verlangden ze ernaar. Ze droomden de hele nacht van cacaobonen en praatten er dan de hele dag over. Je hoefde het woord cacaoboon maar te noemen tegen een Oempa-Loempa en het water liep hem meteen in de mond.'

'De cacaoboon,' ging meneer Wonka verder, 'die aan de cacaoboom groeit, is nu juist toevallig datgene waar alle chocola van wordt gemaakt. Zonder cacao-

boon kan je geen chocola maken. Zelf gebruik ik biljoenen cacaobonen iedere week in de fabriek. En dus, beste kinderen, toen ik merkte wat een behoefte deze Oempa-Loempa's hadden aan dit voedsel, klom ik omhoog naar hun boomhuizendorp en stak mijn hoofd door de deur van het boomhuis dat aan de hoofdman van de stam behoorde. Dat arme mannetje zag er broodmager en half verhongerd uit en deed manmoedige pogingen om een kom vol gestampte groene rupsen te eten zonder misselijk te worden. "Luister eens," zei ik (niet in onze taal natuurlijk, maar in het Oempa-Loempaas), "luister eens, als jij met je hele volk met mij mee terug wilt gaan naar het land waar ik vandaan kom, en in mijn fabriek wilt wonen, dan kunnen jullie net zoveel cacaobonen krijgen als je maar wilt. Ik heb er bergen van in mijn opslagruimten! Je kunt cacaobonen krijgen voor iedere maaltijd! Je kunt je doodziek eten aan cacaobonen! Ik zal jullie loon zelfs in cacaobonen uitbetalen als jullie dat willen."

"Meen je dat heus?" vroeg de Oempa-Loempahoofdman, terwijl hij van zijn stoel opsprong.

"Natuurlijk meen ik het," zei ik. "En je kunt ook chocola krijgen. Dat smaakt nog veel lekkerder omdat er melk en suiker doorheen zit."

Het mannetje slaakte een vreugdekreet en wierp zijn kom met gestampte rupsen zo uit het raam van het boomhuis. "Afgesproken," schreeuwde hij. "Vooruit, laten we gaan!"

Zo bracht ik ze allemaal per schip hierheen, iedere man, vrouw en kind van de Oempa-Loempa-stam. Het was makkelijk. Ik smokkelde ze mee naar binnen in grote pakkisten, met gaatjes erin natuurlijk, en ze kwamen allemaal veilig aan. Het zijn geweldige harde werkers. Ze spreken nu allemaal onze taal. Ze zijn dol op muziek en op dansen. Ze zijn altijd bezig met het maken van liedjes. Ik denk dat jullie vandaag zo nu en dan wel wat zullen horen zingen. Ik moet jullie echter wel waarschuwen dat ze nogal ondeugend zijn. Ze houden van grapjes. Ze dragen nog altijd hetzelfde soort kleren als in hun boomhuizen. Dat willen ze zo. De mannen hebben, zoals je ziet, alleen maar een hertenvachtje aan. De vrouwen bladeren en de kinderen helemaal niets. De vrouwen nemen elke dag verse bladeren...'

'Pappie,' schreeuwde Veruca Peper (dat meisje dat altijd alles kreeg wat ze maar hebben wilde), 'pappie! Ik wil een Oempa-Loempa hebben! Je moet me een Oempa-Loempa geven! Ik wil nu meteen een Oempa-Loempa hebben! Ik wil er een mee naar huis nemen. Vooruit, pappie! Haal een Oempa-Loempa voor me!'

'Nou, nou, kom, kom, mijn hartje,' zei haar vader, 'we moeten meneer Wonka niet in de rede vallen.'

'Maar ik wil een Oempa-Loempa!' krijste Veruca.

'Goed, goed, Veruca, je krijgt hem. Maar ik kan er je op het ogenblik geen geven. Een beetje geduld. Ik zal ervoor zorgen dat je er vandaag nog eentje krijgt.'

'Caspar!' gilde mevrouw Slok. 'Caspar, lieverd, ik geloof dat je dat beter niet kunt doen.'

Caspar Slok, zoals je wel had kunnen verwachten, was stiekem naar de rivier geslopen en was op zijn knieën bezig om met zijn handen hete gesmolten chocola in zijn mond te gieten, zo snel als hij maar kon.

17

Caspar Slok gaat de pijp in

Toen meneer Wonka zich omdraaide en zag wat Caspar aan het doen was, schreeuwde hij: 'O nee! Alsjeblieft, Caspar, alsjeblieft! Ik smeek je, doe dat niet! Mijn chocola mag niet door mensenhanden aangeraakt worden!'

'Caspar,' riep mevrouw Slok, 'hoor je niet wat die man zegt! Kom dadelijk van die rivier vandaan!'

'Dit spul is gewe-e-e-ldig!' zei Caspar, die niet de minste notitie nam van zijn moeder of van meneer Wonka. 'Tjongejee, ik heb een emmer nodig om het echt goed te kunnen drinken.'

'Caspar!' riep meneer Wonka, terwijl hij op en neer wipte en zijn stok in de lucht zwaaide. 'Je *moet* daarmee ophouden! Je bevuilt mijn chocola.'

'Caspar!' riep mevrouw Slok.

'Caspar!' riep meneer Slok.

Maar Caspar was doof voor alles behalve de roepstem van zijn enorme maag. Hij lag nu languit op de grond met zijn hoofd boven de rivier en slurpte van de chocola als een varken.

'Caspar!' schreeuwde mevrouw Slok. 'Straks besmet je zo ongeveer een miljoen mensen met die vervelende verkoudheid van je.'

'Voorzichtig, Caspar,' schreeuwde meneer Slok. 'Je leunt te ver voorover.'

Meneer Slok had groot gelijk, want plotseling hoorde je een kreet en een plons, en daar ging Caspar de rivier in, en in een wip was hij onder het bruine oppervlak verdwenen.

'Red hem!' gilde mevrouw Slok, die doodsbleek werd en met haar paraplu zwaaide. 'Hij zal verdrinken. Hij kan geen meter zwemmen! Red hem! Red hem!'

'Lieve help, vrouw,' zei meneer Slok, 'ik ga er echt niet induiken! Ik heb mijn goeie goed aan.'

Caspar Sloks hoofd kwam nog een keer boven, donkerbruin van de chocola. 'Help, help, help!' krijste hij. 'Haal me eruit!'

'Sta daar niet zo!' jammerde mevrouw Slok tegen meneer Slok. 'Doe iets!'

'Ik doe al iets!' zei meneer Slok, die bezig was zijn jas uit te trekken en zich klaarmaakte om in de chocola te springen. Maar terwijl hij bezig was, werd de ongelukkige jongen steeds dichter en dichter naar de

mond van een van de reusachtige pijpen toegezogen.

En plotseling werd hij helemaal weggetrokken; hij verdween onder het oppervlak en in de mond van de pijp. Het groepje aan de oever wachtte ademloos om te zien waar hij uit zou komen.

'Daar gaat ie!' schreeuwde iemand en wees naar boven.

En ja hoor, omdat de pijp van glas was kon je er Caspar Slok duidelijk in omhoog zien schieten met zijn hoofd naar voren, als een torpedo.

'Help! Moord! Politie!' brulde mevrouw Slok. 'Caspar, kom dadelijk terug. Waar ga je heen?'

'Ik snap gewoon niet dat die pijp breed genoeg is om hem door te laten,' zei meneer Slok.

'Hij *is* niet breed genoeg,' zei Sjakie Stevens. 'O hemel, kijk! Hij gaat steeds langzamer.'

'Ja, dat is zo,' zei opa Jakob.

'Hij blijft vast steken,' zei Sjakie.

'Dat denk ik ook,' zei opa Jakob.

'Jeeminee, hij is blijven steken!' zei Sjakie.

'Dat komt door zijn maag,' zei meneer Slok.

'Hij heeft de hele pijp verstopt,' zei opa Jakob.

'Sla die pijp kapot,' riep mevrouw Slok, die nog steeds met haar paraplu zwaaide. 'Caspar, kom daar onmiddellijk uit!'

De toeschouwers beneden zagen de chocola om de jongen heen bruisen en zij konden zien hoe zich achter hem in de pijp een steeds grotere massa chocola verzamelde, die de versperring onder krachtige druk zette. De druk werd steeds sterker. Iets moest het begeven. En iets begaf het ook, en dat iets was Caspar. *SWOESJ!*

En daar schoot hij opnieuw als een kanonskogel omhoog.

'Hij is weg,' gilde mevrouw Slok. 'Waar gaat die pijp heen? Vlug! Bel de brandweer!'

'Kalm blijven,' riep meneer Wonka. 'Kalm blijven, mevrouwtje, kalm blijven. Er is geen enkel gevaar! Caspar maakt een klein uitstapje, dat is alles. Een buitengewoon interessant uitstapje. Het loopt heus wel goed met hem af. Wacht maar rustig af.'

'Hoe kan het in vredesnaam goed met hem aflopen,' snauwde mevrouw Slok. 'Over een paar seconden wordt er noga van hem gemaakt.'

'Onmogelijk!' riep meneer Wonka. 'Ondenkbaar! Belachelijk! Absurd! Er kan nooit noga van hem gemaakt worden.'

'En waarom niet, als ik vragen mag?' schreeuwde mevrouw Slok.

'Omdat de pijp niet in de nogahal uitkomt,' antwoordde meneer Wonka. 'Hij komt er niet eens in de buurt. Die pijp waar Caspar inschoot, leidt toevallig rechtstreeks naar de hal waar de meest verrukkelijke bonbons met aardbeiencrèmevulling worden gemaakt.'

'Dan wordt hij tot aardbeiencrème-gevulde bonbons gemaakt,' schreeuwde mevrouw Slok. 'Mijn arme Caspar! Ze zullen hem morgenochtend in mooie doosjes met roze strikken erop in het hele land verkopen.'

'Dat is zo,' zei meneer Slok.

'Ik weet zeker dat het zo is,' zei mevrouw Slok.

'Het is gewoon niet leuk meer,' zei meneer Slok.

'Meneer Wonka vindt anders van wel,' riep

mevrouw Slok. 'Kijk es naar hem! Hij lacht zich te barsten! Hoe *durft* u zo te lachen nu mijn zoontje zojuist door die pijp is opgeslokt. Jij monster!' gilde ze met haar paraplu op meneer Wonka gericht alsof ze hem eraan wilde rijgen. 'U vindt het grappig, hè. U vindt dat opzuigen van mijn zoontje naar de bonbonhal een kostelijke grap, hè?'

'Hij komt heus goed terecht,' zei meneer Wonka en giechelde zachtjes.

'Ze maken bonbons van hem,' krijste mevrouw Slok.

'Dat nooit!' riep meneer Wonka.

'Natuurlijk wel,' schreeuwde mevrouw Slok.

'Dat zou ik nooit toestaan,' riep meneer Wonka.

'En waarom dan niet?' riep mevrouw Slok.

'Omdat hij verschrikkelijk zou smaken,' zei meneer Wonka, 'stel je toch eens voor! De bonbon Caspar Slok-de luxe met aardbeienvulling! Niemand zou hem willen kopen.'

'Nou reken maar van wel,' zei meneer Slok verontwaardigd.

'Ik moet er niet aan denken,' gilde mevrouw Slok.

'Ik ook niet,' zei meneer Wonka, 'en ik kan u verzekeren, mevrouw, dat uw lieve zoontje volkomen veilig is.'

'Als hij dan zo veilig is, waar is hij dan?' snauwde mevrouw Slok. 'Breng mij dadelijk naar hem toe!'

Meneer Wonka draaide zich om en knipte met de vingers: klik, klik, klik, drie keer. Prompt verscheen een Oempa-Loempa als uit het niets en kwam naast hem staan. De Oempa-Loempa boog en lachte, waarbij hij prachtige witte tanden toonde. Zijn huid was bleekroze, zijn haar goudblond en het topje van zijn hoofd kwam maar net boven de knie van meneer Wonka uit. Zijn gewone hertenvachtje droeg hij over de schouder geslagen.

'Luister goed,' zei meneer Wonka, die op de kleine man neerkeek. 'Ik wil dat je meneer en mevrouw Slok naar de bonbonhal brengt en ze helpt om hun zoontje Caspar te vinden. Hij is zojuist door de pijp opgezogen.'

De Oempa-Loempa wierp één blik op mevrouw Slok en barstte in schaterlachen uit.

'O wees toch stil,' zei meneer Wonka. 'Beheers je. Houd je in bedwang. Mevrouw Slok kan het grappige er niet van inzien.'

'Dat zal waar wezen!' zei mevrouw Slok.

'Ga rechtstreeks naar de bonbonhal,' zei meneer Wonka tegen de Oempa-Loempa, 'en als je daar bent neem dan een grote stok en roer in de chocoladeketel. Ik ben er welhaast zeker van dat je hem daarin zult vinden, maar je moet wel goed uitkijken! En schiet een beetje op! Als je hem te lang in de ketel laat, heb je kans dat hij in de bonbonvorm-stampmachine gegoten wordt. En dat zou *werkelijk* een ramp zijn, nietwaar? De afschuwelijke smaak zou nog weken alle bonbons bederven.'

Mevrouw Slok slaakte een kreet van woede.

'Ik maak maar een grapje,' zei meneer Wonka, die als een gek giechelde achter zijn sikje. 'Ik meen het niet zo. Neem me niet kwalijk. Het spijt mij. Vaarwel, mevrouw Slok! En meneer Slok! Vaarwel, vaarwel! Ik zie u nog wel.'

Terwijl meneer en mevrouw Slok en hun pieterige begeleider zich weg haastten, begonnen de vijf Oempa-Loempa's aan de andere kant van de rivier plotseling op en neer te springen en te dansen, en wild op een paar piepkleine drums te slaan.

'Caspar Slok!' zongen ze. 'Caspar Slok! Caspar Slok! Caspar Slok!'

'Opa!' riep Sjakie. 'Luister eens naar ze, opa! Wat doen ze nou?'

'Sstt,' fluisterde opa Jakob, 'ik denk dat ze een lied voor ons gaan zingen.'

'Caspar Slok, Caspar Slok!
Dat akelig stuk galgenbrok
't Was echt niet meer om aan te zien
Hoe dat mispunt vrat voor tien.
Mijn hemel, het kwam niet te pas
Zoals die jongen bezig was.
Gezuig, gesabbel en gekauw
Op al wat hij maar eten wou.
Zijn hele leven, dat staat vast,
Heeft hij nog niemand blij verrast.
En niemand zou die vette poen
Ook maar het kleinst genoegen doen.
Hoe genezen we dat dan?
We maken er iets anders van
Iets dat een ander mens graag ziet
En waar een ieder van geniet.
Een bal bijvoorbeeld of een pop,
Een hobbelpaard, een veterdrop.
Want deze enge Caspar Slok
Was zo'n walgelijke schrok,
Zo gulzig, stom en infantiel
Dat het niet te zeggen viel.
Een nare smaak in onze mond
Liet hij achter. Dus terstond
Aan de slag maar met de knaap
Ter verbetering van de smaak.
Wij zeiden: Kom, de tijd is rijp
En hoep, daar schiet hij door de pijp.
Wees maar niet bang, het kan geen kwaad
Je weet dat onkruid nooit vergaat.
Maar veranderen zal hij zeer
Waarschijnlijk ken je hem niet meer.

Nu draait hij door de reepmachien
Zoiets heeft hij nog nooit gezien
De raderen draaien rond en glad
De stenen malen alles plat
En honderd messen snijden fluks
Het ventje in wel duizend stuks.
Wat suiker en kaneel erbij
Wat room, citroen, wat kruiderij,
Dan koken we hem langzaam aan
Tot al het kwaad is weggegaan.
Hij komt eruit… maar wat is dat!
Een wonder heeft hier plaatsgehad.
Dit kind, nog pas een nare vraat
Door iedereen zo fel gehaat,
Dit gulzig zwijn, die enge luis
Heeft iedereen nu graag in huis.
Want wie zou er ooit nijdig zijn
Op een stuk lekkre marsepein?

'Zei ik niet dat ze dol op zingen waren!' riep meneer Wonka. 'Zijn ze niet kostelijk? Zijn ze niet enig? Maar je moet er geen woord van geloven, hoor. Het is allemaal maar onzin, van het begin tot het einde.'

'Maken de Oempa-Loempa's werkelijk maar een grapje, opa?' vroeg Sjakie.

'Natuurlijk is het maar een grapje,' antwoordde opa Jakob. 'Dat *moet* welhaast. Tenminste, ik hoop maar dat ze grapjes maken. Jij niet?'

18

De chocoladerivier

'Daar gaan we weer,' riep meneer Wonka. 'Opschieten allemaal! Volg mij naar de volgende hal! En
maken jullie je vooral geen zorgen over Caspar Slok.
Die komt wel weer op zijn pootjes terecht. Dat komt
altijd goed. Het volgende deel van de tocht maken
we per boot. Daar komt hij al aan. Kijk!'

Er steeg nu een nevelachtige damp uit de grote
warme chocoladerivier op, en uit die damp kwam
plotseling een fantastische roze boot te voorschijn.
Het was een grote open roeiboot met een hoge voor-
steven en een hoge achtersteven (zoals de oude
vikingschepen dat hadden) van zo'n schitterende,
glanzende roze kleur, dat het leek alsof hij van helder
roze glas was gemaakt. Aan beide kanten staken er
een heleboel riemen uit en toen de boot dichterbij
kwam, konden de toeschouwers op de oever zien dat
zich een hele menigte Oempa-Loempa's aan de riemen bevond, minstens tien per riem. 'Dit is mijn
privé-jacht,' riep meneer Wonka glunderend van de
pret. 'Ik heb hem gemaakt door een enorm zuurtje
uit te hollen. Is hij niet schitterend? Zie eens hoe hij
door het water snijdt.'

De glanzende roze zuurtjesboot gleed naar de oever. Zeker honderd Oempa-Loempa's lieten hun riemen rusten en staarden naar de bezoekers. Toen plotseling, om de een of andere reden die zij zelf het beste kenden, barstten ze in bulderend gelach uit.

'Wat is er zo grappig?' vroeg Violet Beauderest.

'O, let er niet op,' riep meneer Wonka. 'Zij lachen altijd. Ze denken dat alles een kolossale grap is. Spring er maar in, jullie allemaal. Vooruit! Opschieten!'

Nauwelijks was iedereen veilig aan boord, of de Oempa-Loempa's duwden de boot af en begonnen stroomafwaarts te roeien.

'Hé, jij daar! Joris Teevee!' schreeuwde meneer Wonka. 'Lik alsjeblieft niet met je tong aan mijn boot. Daar wordt ie maar kleverig van!'

'Pappie,' zei Veruca Peper, 'ik moet ook zo'n boot! Ik wil dat jij ook een grote roze zuurtjesboot net als die van meneer Wonka voor mij koopt. En ik moet een heleboel Oempa-Loempa's hebben om me rond te roeien en ik moet ook een chocoladerivier hebben en ik moet... ik moet ook...'

'Ze moet een flink pak op d'r broek hebben,' fluisterde opa tegen Sjakie. De oude man zat achter in de boot met de kleine Sjakie vlak naast hem. Sjakie klemde zich stevig aan de benige hand van zijn grootvader vast. Hij was helemaal draaierig van opwinding. Alles wat hij tot nog toe gezien had: de grote chocoladerivier, de waterval, de Oempa-Loempa's, de prachtige boot en vooral meneer Willie Wonka zelf, was allemaal al zo verbazingwekkend geweest, dat hij

105

zich afvroeg of er ook maar iets kon zijn dat hem nog in verbazing zou kunnen brengen. Waar gingen ze nu heen? Wat zouden ze nu weer gaan zien? Wat zou er in vredesnaam in de volgende hal gebeuren?

'Is het niet machtig?' zei opa Jakob breeduit lachend tegen Sjakie.

Sjakie knikte en lachte terug.

Plotseling greep meneer Wonka, die aan Sjakie's andere kant zat, een grote mok van de bodem van de boot, dompelde hem onder in de rivier, vulde hem met chocola en gaf hem aan Sjakie.

'Drink op,' zei hij, 'dat zal je goed doen. Je ziet er half verhongerd uit.'

Daarna vulde hij een tweede beker en gaf die aan opa Jakob.

'Jij ook,' zei hij. 'Je lijkt wel een geraamte! Wat is er aan de hand? Hadden jullie de laatste tijd niets te eten?'

'Niet veel,' zei opa Jakob.

Sjakie bracht de mok naar zijn lippen en toen de warme, machtige, romige chocolade door zijn keel in zijn lege maag stroomde, begon zijn hele lichaam van onder tot boven te tintelen van genoegen en verspreidde zich een gevoel van intens geluk door hem heen.

'Vind je 't lekker?' vroeg meneer Willie Wonka.

'O, het is verrukkelijk,' zei Sjakie.

'De romigste, zaligste chocolade die ik ooit geproefd heb,' zei opa Jakob en smakte met zijn lippen.

'Dat komt omdat het door de waterval geklopt is,' vertelde meneer Wonka hem.

De boot voer snel de rivier af. De stroom werd steeds smaller. Er kwam een soort donkere tunnel in zicht, die eruitzag als een enorme pijp en de rivier stroomde daar regelrecht op af. En de boot ook! 'Doorroeien!' schreeuwde meneer Willie Wonka. Hij sprong erbij overeind en zwaaide met zijn stok. 'Volle kracht vooruit!'

En terwijl de Oempa-Loempa's harder dan ooit roeiden, schoot de boot de pikdonkere tunnel in en alle passagiers schreeuwden van opwinding.

'Hoe kunnen ze nu zien waar we terechtkomen?' gierde Violet Beauderest.

'Niemand kan dromen waar we komen,' riep meneer Wonka stikkend van het lachen.

Niemand kan maar even dromen
Waar de boot terecht zal komen
De roeiers roeien maar en bomen
Ze zijn gewoon niet in te tomen
Nergens een lichtje te bekomen
De roeiers zullen heus niet schromen
Om met ons in gevaar te komen
En de rivier die blijft maar stromen!
Help, we zijn in de boot genomen!

'Hij heeft zijn verstand verloren,' riep een van de vaders ontsteld en de andere ouders mengden zich nu ook in het koor van angstig geroep. 'Hij is gek geworden!' riepen ze.

'Hij is stapel!'

'Hij is knots!'

'Hij is getikt!'

'Hij is zot!'
'Hij is niet fris!'
'Hij is mesjokke!'
'Hij is krankzinnig!'
'Hij is dol!'
'Hij is kiedewiet!'
'Hij is bezeten!'
'Hij is knettergek!'
'Hij is idioot!'
'Nee, dat is ie niet,' zei opa Jakob.

'Doe de lichten aan!' schreeuwde meneer Wonka. En plotseling gingen de lampen aan en baadde de tunnel in helder licht. En Sjakie kon zien dat ze zich werkelijk in een reuzegrote pijp bevonden. De omhoogwelvende wanden van de pijp waren spierwit en vlekkeloos schoon. De chocoladerivier stroomde binnen de pijp erg snel, de Oempa-Loempa's roeiden als gekken, en de boot schoot vooruit met duizeling- wekkende snelheid. Meneer Wonka maakte wilde sprongen achter in de boot en spoorde de roeiers aan om sneller en sneller te roeien. Het scheen dat hij enorm veel plezier beleefde aan het sjezen met een roze boot door een witte tunnel op een bruine chocoladerivier, hij klapte in zijn handen en lachte en keek steeds naar zijn passagiers om te zien of ze net zo genoten als hij.

'Kijk, opa,' riep Sjakie, 'daar is een deur in de muur!'

Het was een groene deur, die net boven de rand van de rivier in de muur van de tunnel zat. Toen ze voorbijflitsten was er net genoeg tijd om te lezen wat er op stond:

OPSLAGPLAATS 54 stond er. ALLE ROOM-SOORTEN – DUNNE ROOM, SLAGROOM, BAKKERSROOM, PAARSE ROOM, KOFFIE-ROOM, THEEROOM en SYNDROOM.

'Sint-room?' vroeg Joris Teevee. 'Is dat room van Sinterklaas?'

'Doorroeien!' schreeuwde meneer Willie Wonka. 'We hebben geen tijd voor onnozele vragen.'

Ze stoven langs een zwarte deur. OPSLAG-PLAATS 71 stond erop: SLAGWERK, ALLE SOORTEN.

'Slagwerk!' riep Veruca Peper. 'Waar gebruikt u in 's hemelsnaam slagwerk voor?'

'Voor slagroom natuurlijk,' zei meneer Wonka, 'hoe krijg je nu slagroom zonder slagwerk. Slagroom is geen echte slagroom als hij niet echt geslagen is, net zoals raapstelen geen echte raapstelen zijn als ze niet in het holst van de nacht van het veld gestolen zijn. Doorroeien maar!'

Ze passeerden een gele deur waarop stond: OPSLAGPLAATS 77 – ALLE BONEN, CACAO-BONEN, KOFFIEBONEN, RUMBONEN EN HEILIGE BOONTJES.

'Heilige boontjes?' riep Violet Beauderest.

'Dat ben jij zeker niet,' riep meneer Wonka, 'we hebben geen tijd voor discussies. Vooruit. Doorgaan!'

Maar vijf seconden later, toen een helderrode deur in zicht kwam, zwaaide hij plotseling met zijn wandel-stok en riep: 'Stop de boot!'

19

De uitvindkamer –
Eeuwigdurende waffelvullers en
haartoffees

Toen meneer Wonka 'Stop de boot' riep, sloegen de Oempa-Loempa's hun riemen in de rivier en probeerden uit alle macht de vaart van de boot af te remmen. De boot stopte.

De Oempa-Loempa's loodsten de boot naar de rode deur. Op de deur stond: UITVINDKAMER – PRIVÉ – VERBODEN TOEGANG.

Meneer Wonka nam een sleutel uit zijn zak, leunde over de rand van de boot en stak de sleutel in het sleutelgat.

'Dit is de belangrijkste plek van de hele fabriek,' zei hij. 'Al mijn allergeheimste nieuwe uitvindingen zijn hier aan het koken en pruttelen. Ouwe Piepelmans zou er zijn tanden voor overhebben om hier drie minuten rond te mogen kijken. En dat geldt ook voor Steekneus en Wardeloos, en al die andere rotchocolademakers. Maar luisteren jullie nu eens even goed naar mij. Ik wil geen rondgescharrel als we naar binnen gaan. Nergens aankomen, nergens aan knoeien en nergens van proeven. Afgesproken?'

'Ja ja,' riepen de kinderen, 'we zullen niets aanraken.'

'Tot nu toe,' zei meneer Wonka, 'heeft niemand anders, zelfs geen Oempa-Loempa, ooit een voet in deze kamer mogen zetten.'

Hij opende de deur en stapte uit de boot de kamer in. De vier kinderen en de volwassenen krabbelden achter hem aan. 'Nergens aankomen,' riep meneer Wonka, 'en niets omgooien.'

Sjakie staarde om zich heen in de reusachtige kamer. Het leek wel een heksenkeuken! Overal in het rond stonden zwarte metalen potten te koken en te borrelen op enorme kachels, en ketels floten, pannen sisten en vreemde ijzeren machines rommelden en rammelden. Er liepen pijpen langs de zoldering en alle muren en de hele ruimte was gevuld met rook en stoom en de zaligste geuren.

Meneer Wonka was opeens nog meer opgewonden dan eerst. Iedereen kon zien dat hij van deze kamer verreweg het meeste hield. Hij huppelde tussen de pannen en de machines door als een kind tussen zijn sinterklaascadeautjes, die niet weet waar hij het eerst mee zal spelen. Hij tilde de deksel van een grote pot en snoof de geur op, toen holde hij naar de ene kant om zijn vinger in een ton met geel kleverig spul te dopen en te proeven, toen wipte hij naar de andere kant, waar hij verwoed aan de knoppen van een machine begon te draaien, daarna tuurde hij bezorgd door het glazen deurtje van een reusachtige oven, terwijl hij intussen in zijn handen wreef en hinnikte van genoegen over wat hij daarbinnen zag. Dan weer naar een andere machine, een klein glanzend geval dat steeds pfut-pfut-pfut-pfut deed en bij iedere pfut viel er een grote groene knikker uit in een mandje op de

vloer. Tenminste, het leek op een knikker.

'Eeuwigdurende waffelvullers,' riep meneer Wonka trots. 'Helemaal nieuw. Die vind ik uit voor kinderen die maar heel weinig zakgeld krijgen. Je kunt een eeuwigdurende waffelvuller in je mond doen en zuigen en zuigen en zuigen en hij wordt NOOIT ook maar iets kleiner.'

'Net als kauwgum,' riep Violet Beauderest.

'Niet net als kauwgum,' zei meneer Wonka, 'kauwgum is om op te kauwen en als je op zo'n waffelvuller zou proberen te kauwen zou je al je tanden breken. Maar ze smaken fantastisch. En ze veranderen eens per week van kleur! Ze raken nooit op! NOOIT! Tenminste, ik geloof van niet. Er wordt er op dit ogenblik eentje getest in de testkamer hiernaast. Een Oempa-Loempa zuigt erop. Hij zuigt er nu al bijna een jaar op zonder ophouden en hij is nog precies even groot en lekker als ooit.'

'En nu, dit hier,' ging meneer Wonka verder, terwijl hij opgewonden naar de andere kant van de kamer wipte. 'Hier werk ik een volslagen nieuw idee uit op toffeegebied.' Hij stopte bij een grote steelpan. De steelpan zat vol met een kleverige paarse stroop, die borrelde en pruttelde... Door op zijn tenen te staan kon Sjakie er net inkijken.

'Dat is haartoffee!' riep meneer Wonka. 'Je hoeft er maar een heel klein beetje van te eten en na precies een half uur begint een splinternieuwe, weelderige bos dik zijdeachtig haar te groeien over je hele hoofd. En een snor! En een baard!'

'Een baard!' gilde Veruca Peper. 'Wie wil er in vredesnaam een baard?'

114

'Die zou je niet misstaan,' zei meneer Wonka, 'maar jammer genoeg is het mengsel nog niet helemaal wat het zijn moet. Het is te sterk. Het werkt te goed. Ik heb het gisteren in de testkamer op een Oempa-Loempa geprobeerd en onmiddellijk schoot er een enorme zwarte baard uit zijn kin, maar die baard groeide zo snel, dat de vloer in een wip bedekt was met een dik harig tapijt. Het groeide sneller aan dan we het af konden knippen. Ten slotte moesten we een grote grasmaaimachine gebruiken om het bij te houden. Maar binnenkort zal ik het mengsel goed hebben. En wanneer ik dat klaar heb, zal er geen enkel excuus meer zijn voor jongetjes en meisjes die met kale hoofden rondlopen!'

'Maar, meneer Wonka,' zei Joris Teevee, 'jongens en meisjes lopen nooit rond met...'

'Geen tegenspraak, beste jongen, alsjeblieft, spreek me niet tegen,' riep meneer Wonka, 'dat is zo'n verspilling van kostbare tijd. En nu, deze kant op, als jullie allemaal even hier willen komen, dan laat ik jullie iets zien waar ik verschrikkelijk trots op ben. O, wees voorzichtig. Nergens tegen stoten. Achteruit!'

20

De grote kauwgummachine

Meneer Wonka bracht het groepje naar een reusachtige machine, die precies in het midden van de uitvindkamer stond. Het was een berg van glimmend metaal, die hoog boven de kinderen en hun ouders uittorende. Aan het hoogste topje ontsproten honderden en honderden dunne glazen buisjes, en die buisjes krulden naar beneden en kwamen bijeen in een grote bundel, die boven een kolossale ronde teil, zo groot als een badkuip, was opgehangen.

'Daar gaan we dan!' riep meneer Wonka en hij drukte op drie verschillende knoppen aan de zijkant van de machine. Een tel later kwam er een machtig gerommel uit de machine. Hij begon angstwekkend te schudden en er kwam stoom uit alle spleetjes en gaatjes, en toen plotseling merkten de bezoekers dat er iets vloeibaars door al die honderden glazen buisjes stroomde en in de grote ronde teil eronder spoot. En de vloeistof had in ieder buisje een andere kleur, zodat alle kleuren van de regenboog (en nog een hoop andere ook) kletterend en spetterend in de teil stroomden. Het was een prachtig gezicht. En toen de teil bijna vol was, drukte meneer Wonka op een andere knop en meteen hield het stromen door de glazen buisjes op en stopte het gerommel, en daarvoor in de plaats kwam er een zoevend snorrend geluid en begon een reuzenzoever in de enorme teil rond te zoeven en vermengde al die verschillende kleuren net als een ice-cream-soda. Langzamerhand begon het mengsel te schuimen, het werd al schuimiger en schuimiger en veranderde van blauw in wit, in groen, in bruin, in geel en dan weer in blauw.

'Kijk,' zei meneer Wonka.

Klik, zei de machine en de zoever hield op met zoeven. En nu hoorden ze een soort zuigend geluid en bliksemsnel werd het hele blauwige schuimige mengsel uit de enorme kom weggezogen en verdween in de ingewanden van de machine.

Een ogenblik was het stil.

Toen werden een paar vreemde rochels hoorbaar. Daarna was het weer stil. Opeens slaakte de machine een monsterachtige machtige zucht en op hetzelfde ogenblik schoot een klein laatje, niet groter dan die in een automaat, open aan de zijkant van de machine en daarin lag iets dat zo onooglijk, dun en grauw was, dat iedereen dacht dat het een vergissing moest zijn. Het leek wel een smal strookje grauw karton.

De kinderen en hun ouders staarden naar het kleine grauwe strookje dat in het laatje lag.

'Bedoelt u dat dat alles is?' vroeg Joris Teevee vol afgrijzen.

'Dat is alles,' antwoordde meneer Wonka, die trots op het resultaat neerkeek. 'Weten jullie wat dat is?'

Er was een pauze. Toen plotseling gaf Violet Beauderest, dat malle kauwgummeisje, een gil van opwinding. 'Gompie, 't is gom,' krijste ze, 'het is een stuk kauwgum!'

'Je hebt gelijk!' schreeuwde meneer Wonka en gaf haar een ferme klap op de schouders. 'Het is kauwgum. Het is de allerverbazendste, wonderbaarlijkste, sensationeelste kauwgum van de hele wereld!'

21

Vaarwel Violet

'Deze kauwgum is mijn laatste, mijn grootste, mijn meest fascinerende ontdekking! Het is een kauwgum-maaltijd. 't Is... 't is... 't is... dat ene stukje kauwgum is een compleet diner van drie gangen!'

'Wat is dat nu weer voor onzin,' zei een van de vaders.

'Mijn beste man,' riep meneer Wonka, 'wanneer ik deze kauwgum op de markt breng, zal het ALLES ver-anderen! Het zal het einde betekenen van alle keu-kens en kokerij! Geen boodschappen meer! Geen vor-ken en messen meer nodig. Geen borden! Geen afwas! Geen afval! Geen rommel! Alleen maar zo'n klein strookje Wonka's toverkauwgum en dat is alles wat je nodig hebt voor het ontbijt, de lunch of het avond-eten! Dit stukje, dat ik zojuist gemaakt heb, is toevallig tomatensoep, biefstuk en bosbessentaart toe. Maar je kunt zowat alles krijgen wat je maar hebben wilt.'

'Hoe bedoelt u dat het tomatensoep, biefstuk en bosbessentaart is?' vroeg Violet Beauderest.

'Als jij erop zou gaan kauwen,' zei meneer Wonka, 'is dat precies wat op het menu zou staan. Het is wer-kelijk verbazingwekkend. Je kunt zelfs voelen hoe het

119

voedsel door je keel in je maag glijdt! En je proeft het duidelijk! Het vult je maag! Het stilt je honger! Het is absoluut het einde!'

'Het is absoluut onmogelijk,' zei Veruca Peper.

'Nou, als het maar kauwgum is,' schreeuwde Violet Beauderest, 'als het maar kauwgum is en ik er lekker op kan kauwen, dan voel ik er alles voor!' Vlug haalde ze haar eigen wereldrecordbrekende stuk kauwgum uit haar mond en plakte het achter haar linkeroor.

'Kom op, meneer Wonka,' zei ze, 'geef mij dat toverkauwgum van u, dan zullen we eens kijken of het werkt.'

'Kom, kom, Violet,' zei mevrouw Beauderest, haar moeder. 'Laten we geen domme dingen doen, Violet.'

'Ik wil die kauwgum!' zei Violet koppig. 'Wat is daar voor doms aan?'

'Ik had liever dat je het niet at,' zei meneer Wonka vriendelijk tegen haar. 'Weet je, ik heb het nog niet *helemaal* zoals ik het hebben wil. Er zijn nog een of twee dingetjes...'

'Ach stik,' zei Violet en plotseling, voordat meneer Wonka haar kon tegenhouden, stak ze een vet handje uit en griste het stukje kauwgum uit het laatje en propte het in haar mond. En meteen begonnen haar grote, goedgetrainde kaken te kauwen.

'O, niet doen,' zei meneer Wonka.

'Het is geweldig,' schreeuwde Violet, 'het is tomatensoep. Heet en romig en zalig. Ik voel het door mijn keelgat glijden.'

'Houd op,' zei meneer Wonka, 'de kauwgum is nog niet helemaal klaar. Hij is nog niet goed!'

'Natuurlijk is hij wél goed!' zei Violet. 'Het werkt

reusachtig. Tjonge, wat is dat een goddelijke soep.'

'Spuug het uit,' riep meneer Wonka.

'O, het verandert nu,' riep Violet, die tegelijk kauwde en grinnikte. 'Daar komt de tweede gang! Het is biefstuk! En mals en sappig! Jonge, wat een smaak! De gebakken aardappeltjes zijn anders ook machtig. Knapperig van buiten en boterzacht van binnen!'

'Wat interessant toch, Violet,' zei mevrouw Beauderest. 'Wat ben jij toch een knappe meid!'

'Kauw maar lekker door, mijn hartje,' zei meneer Beauderest, 'kauw maar lekker door. Dit is een grote dag voor de familie Beauderest. Ons kleine meisje is de eerste persoon op de wereld die een kauwgum-maaltijd eet.'

Iedereen keek naar Violet Beauderest terwijl ze die merkwaardige kauwgum stond te kauwen. Kleine Sjakie Stevens staarde onafgebroken naar die dikke rubberachtige lippen, die open en dicht gingen met de bewegingen van haar kaken, en opa Jakob stond naast hem het meisje aan te gapen.

Meneer Wonka wrong zijn handen en zei steeds maar: 'Nee, nee, nee, nee, nee! Het is nog niet geschikt om te eten. Het loopt niet goed af! Doe het toch niet!'

'Bosbessentaart met room!' schreeuwde Violet. 'Daar heb je 't! Tjee, dat is volmaakt, hartstikke goed, geweldig. Het is... het is alsof ik het inslik, net alsof ik grote lepels vol van de zaligste bosbessentaart van de hele wereld kauw en doorslik.'

'Grote hemel, meisje,' riep mevrouw Beauderest ineens en ze staarde naar Violet, 'wat gebeurt er met je neus?'

’Hè, stil toch, moeder, laat me toch rustig door-
eten,’ zei Violet.

’Hij wordt blauw,’ krijste mevrouw Beauderest, ’je
neus wordt zo blauw als een bosbes.’

’Je moeder heeft gelijk,’ schreeuwde meneer Beauderest. ’Je hele neus is pimpelpaars geworden.’

’Waar hebben jullie het over?’ zei Violet vlijtig kau-
wend.

’Je wangen,’ gilde mevrouw Beauderest, ’die worden ook al paars! En je kin! Je hele gezicht wordt
blauw en paars.’

’Spuug die kauwgum onmiddellijk uit!’ beval
meneer Beauderest.

’Grote genade! Sta ons bij!’ gilde mevrouw Beauderest. ’Ons meisje wordt helemaal pimpelpaars! Zelfs
haar haren veranderen van kleur. Violet, je wordt
helemaal violet. Violet! Wat gebeurt er met je?!’

’Ik zei jullie toch al dat ik het niet helemaal goed
had,’ zei meneer Wonka zuchtend en schudde triest
zijn hoofd.

’Dat heb je zeker niet!’ schreeuwde mevrouw Beauderest. ’Kijk me dat meisje nu eens aan!’

Iedereen staarde naar Violet. Het was een buitengewoon merkwaardig gezicht! Haar gezicht, handen
en benen en nek, de huid over haar hele lichaam en
zelfs haar enorme bos krulharen, alles had een heldere paarsblauwe kleur aangenomen, de kleur van
blauwe bosbessensap.

’Het gaat altijd mis bij het toetje,’ zuchtte meneer
Wonka. ’Het is die bosbessentaart die ’t ’m doet.
Maar pas op, eens zal ik het toch goed krijgen.’

’Violet,’ gilde mevrouw Beauderest, ’je zwelt op!’

'Ik voel me misselijk,' zei Violet.

'Je zwelt op!' gilde mevrouw Beauderest opnieuw.

'Ik voel me zo raar!' bracht Violet met moeite uit.

'Verbaast me niks,' zei meneer Beauderest.

'Grote hemel, kind,' riep mevrouw Beauderest, 'je zwelt op als een ballon!'

'Als een blauwe bosbes,' verbeterde meneer Wonka.

'Bel de dokter!' riep mevrouw Beauderest.

'Prik haar met een speld,' zei een van de andere vaders.

'Red haar!' riep mevrouw Beauderest handenwringend.

Maar er was geen redden meer aan. Haar lichaam veranderde zo snel van vorm, dat het er binnen een

minuut uitzag als een enorme ronde blauwe bal, een reusachtige bosbes in feite, en alles wat er van Violet Beauderest over was, waren een paar kleine armpjes en beentjes die uit de grote ronde vrucht staken, en een klein hoofdje er bovenop.

'Hè, dat gebeurt nu altijd,' verzuchtte meneer Wonka. 'Ik heb het wel twintig keer in de testkamers geprobeerd op twintig Oempa-Loempa's en allemaal werden ze uiteindelijk bosbessen. Het is heel vervelend. Ik begrijp niet waar de fout zit.'

'Maar ik wil geen bosbes als dochter,' gilde mevrouw Beauderest, 'maak haar onmiddellijk weer gewoon!'

Meneer Wonka knipte met de vingers en meteen stonden er tien Oempa-Loempa's naast hem.

'Rol juffrouw Beauderest in de boot,' zei hij tegen ze, 'en breng haar dadelijk naar de vruchtensaphal.'

'De vruchtensaphal!' riep mevrouw Beauderest. 'Wat gaan ze daar met haar doen?'

'Uitpersen,' zei meneer Wonka. 'We moeten haar onmiddellijk uitpersen. Daarna zullen we gewoon af moeten wachten wat er van haar terechtkomt. Maar maak u geen zorgen, lieve mevrouw Beauderest. We zullen haar wel weer oplappen, al zou het het laatste zijn wat ik deed. Het spijt me allemaal echt, ik ben werkelijk...'

De tien Oempa-Loempa's rolden de enorme bosbes al over de vloer van de uitvindkamer naar de deur die toegang gaf tot de chocoladerivier, waar de boot lag te wachten. Meneer en mevrouw Beauderest haastten zich achter hen aan. De rest van het groepje, waaronder Sjakie Stevens en opa Jakob, stond doodstil en keek hen na.

'Luister,' fluisterde Sjakie, 'luister opa! De Oempa-Loempa's in de boot gaan zingen!'

Het koor van honderd stemmetjes was duidelijk hoorbaar in de kamer.

Het is wel zeker, lieve vrinden,
Dat haast niets ergers is te vinden,
Haast niets zo stuitend en zo fout
Dan 'n kind dat altijd kauwgum kauwt.
't Is bijna net zo walglijk, heus,
Als het pulken in je neus.
Geloof ons, kauwgum kauwen is
Heel ongezond en heel onfris.
En wie zich dat heeft aangewend
Komt vaak onprettig aan z'n end.

Heeft een van jullie soms gehoord
Van ene juffrouw Hanekoord?
Dat enge mens zag geen bezwaar
In kauwen, kauwen, kauwen maar
Ze kauwde bij radio en tv,
Ze kauwde bij koffie en bij thee,
Ze kauwde bij arm en ze kauwde bij rijk,
't Was werkelijk afgrijselijk!
Ze kauwde in huis en zelfs in de kerk
Waar iedereen riep: 'Dat is geen werk!'
En had ze soms eens even geen gum
Dan kauwde ze op het linoleum
Of op wat toevallig voorhanden was:
Het oor van de melkboer of op zijn das,
Op de sleep van de bruid of op haar lint
Op gras, op boomschors of op grint.
En ze kauwde heel onverkwikkelijk;
Haar kauwspieren groeiden verschrikkelijk
Tot haar kin zover naar voren stak
Dat die bijna leek op een kolenbak.
Dagelijks kauwde ze jaar na jaar
Vijftig pakjes achter mekaar.
Maar op een zomeravond, helaas,
Vond er iets ontzettends plaats.
Die avond, vrienden, nu opgelet
Ging juffrouw Hanekoord naar bed.
Haar kaken stonden ook hier niet stil,
Ze kauwde nog door als een krokodil.
Ten slotte deed ze haar gommetje
In het daarvoor bestemde kommetje.
Ze telde tot tien en ging toen slapen,
Maar wat er al sliep, toch niet haar kaken.

126

Die reuzekaken, die maalden maar voort,
Die kauwden en kauwden, 't was ongehoord.
Ze konden niet stilstaan en bleven happen
En kauwen en malen en bijten en klappen,
Ook toen er niets meer te kauwen viel
In de grote mond van die arme ziel!
Ze waren zo aan het ritme gewend,
Ze moesten kauwen, permanent.
Je weet niet half hoe eng dat was
In 't holst van de nacht dat gekraak en geknars
Van 't smoelwerk van de slapende vrouw.
Al sneller en sneller ging het gekauw,
Tot op 't laatst haar reuzekaken
Even schenen het werk te staken!
Zij openden zich extrawijd
En toen met een klap, och heremetijd,
Sloegen zij dicht. O, wee, o wee,
Ze beet haar eigen tong in twee.
Daarna heeft niemand ooit meer gehoord
De stem van juffrouw Hanekoord.
Alleen door het kauwen van die gom
Was ze nu voor altijd stom.
En daarom doen we nu ons best
Tot heil van Violet Beauderest
Die anders dezelfde weg opgaat.
Maar ze is jong. 't Is nog niet te laat,
Als ze 't tenminste overleeft
En weer een mensengestalte heeft.
't Is niet zeker of het kan,
We hopen er maar het beste van.

22

In de gang

'Wel, wel, wel,' zuchtte meneer Wonka, 'twee stoute kindertjes zijn we kwijt. Drie zoete kindertjes zijn nog over. Ik geloof dat we hier maar het beste vlug weg kunnen gaan, voordat we er nog eentje verliezen.'

'Maar, meneer Wonka,' zei Sjakie Stevens bezorgd, 'zal Violet Beauderest ooit weer goed komen of moet ze altijd een bosbes blijven?'

'Zij zullen haar in minder dan geen tijd leeggeperst hebben,' verklaarde meneer Wonka, 'ze zullen haar in de vruchtenpersmachine rollen en ze zal er zo plat als een dubbeltje weer uitkomen!'

'Maar zal ze dan nog altijd paars zijn?' vroeg Sjakie.

'Ze zal helemaal violet zijn,' riep meneer Wonka, 'een prachtig egaal pimpelpaars van top tot teen! Maar wat wil je? Dat komt van dat walgelijke kauwgum kauwen de hele dag.'

'Als u vindt dat kauwgum zo walgelijk is, waarom maakt u die dan in uw fabriek?' vroeg Joris Teevee.

'Ik wou dat je niet zo binnensmonds praatte,' zei meneer Wonka, 'ik versta geen woord van wat je zegt. Maar kom, vooruit! We gaan! Opschieten! Volg mij! We gaan de gangen weer in.'

En terwijl hij dat zei stommelde hij naar de verste hoek van de uitvindkamer en ging door een geheim deurtje, dat achter allerlei buizen en fornuizen verscholen zat.

De drie overgebleven kinderen, Veruca Peper, Joris Teevee en Sjakie Stevens, gingen met de vijf overgebleven volwassenen achter hem aan.

Sjakie Stevens zag dat ze zich nu weer in een van die lange roze gangen, met al die roze zijgangen, bevonden. Meneer Wonka snelde voor hen uit, links, rechts, rechts, links, en opa Jakob zei: 'Houd mijn hand goed vast, Sjakie, het zou vreselijk zijn om hier te verdwalen.'

Meneer Wonka zei: 'Geen tijd voor verder rondge-

129

lummel! We komen nérgens als we zo doorgaan!' En hij rende vooruit de eindeloze roze gangen af, met zijn zwarte hoge hoed wiebelend op het topje van zijn hoofd en zijn bruingele fluwelen slippen achter hem aan wapperend als een vlag in de wind.

Ze kwamen langs een deur in de muur.

'Geen tijd om naar binnen te gaan,' schreeuwde meneer Wonka. 'Doorlopen, doorlopen!'

Ze kwamen langs nog een deur, en nog een en nog een. Er waren nu zo ongeveer om de twintig stappen deuren in de wand van de gang, en ze droegen allemaal een opschrift, en er kwamen vreemde rammelende geluiden achter verschillende deuren vandaan. Soms dreven heerlijke geuren door de sleutelgaten en een enkele keer schoten kleine wolkjes kleurige stoom onder een deur door.

Opa Jakob en Sjakie moesten afwisselend lopen en hollen om meneer Wonka bij te houden. Toch konden ze nog heel wat van de opschriften lezen in het voorbijrennen.

EETBARE GOMBALKUSSENS, luidde een ervan.

'Gombalkussens zijn geweldig!' schreeuwde meneer Wonka terwijl hij er voorbijdraafde. 'Ze zullen een rage worden als ik ze in de winkels breng! Maar we hebben geen tijd om naar binnen te gaan! Geen tijd! Geen tijd!'

AFLIKBAAR BEHANG VOOR KINDER-KAMERS, stond op de volgende deur.

'Heerlijk spul, aflikbaar behangselpapier,' riep meneer Wonka voorthollend, 'er staan plaatjes van vruchten op: bananen, appels, sinaasappels, druiven,

ananassen, aardbeien, aalbessen en bosbessen en bizzebessen...'

'Bizzebessen?' vroeg Joris Teevee.

'Val me niet in de rede,' zei meneer Wonka. 'Het
behang is bedrukt met plaatjes van al die vruchten,
en als je het plaatje van een banaan likt dan proef je
banaan. Lik je een aardbei dan proef je een aardbei.
En lik je een bizzebes dan smaakt het ook precies als
een bizzebes...'

'Ja maar hoe smaakt een bizzebes dan?'

'Je mompelt weer,' zei meneer Wonka, 'praat een
volgende keer wat duidelijker. Vooruit maar!
Opschieten!'

HEET IJS VOOR KOUDE DAGEN, stond op
de volgende deur.

'Reuzehandig 's winters,' zei meneer Wonka voort-
ijlend, 'heet ijs maakt je lekker warm van binnen als
het vriest. Ik maak ook hete ijsblokjes om in warme
dranken te doen. Hete ijsblokjes maken hete dranken nog warmer.'

KOEIEN DIE CHOCOLADEMELK GEVEN,
stond op de deur daarnaast.

'O, mijn mooie lieve koetjes,' zei meneer Wonka
voorthollend, 'wat ben ik dol op die koetjes.'

'Maar waarom kunnen we ze niet gaan bekijken?'
vroeg Veruca Peper. 'Waarom moeten we toch al die
meesterlijke kamers voorbijhollen?'

'We houden heus wel stil op z'n tijd,' riep meneer
Wonka uit. 'Wees toch niet zo ontzettend ongedul-
dig!'

OPSTIJGLIMONADE MET PRIK, stond op
een volgende deur.

'O, dat is niet te geloven,' riep meneer Wonka, 'die vult je op met luchtbellen en die bellen zijn gevuld met een speciaal soort gas. En dat gas is zo licht, dat het je zomaar van de grond doet opstijgen als een ballon, tot je hoofd tegen de zolder stoot, en daar blijf je dan hangen.'

'Maar hoe kom je dan weer beneden?' vroeg Sjakie.

'Een boer laten natuurlijk,' zei meneer Wonka. 'Je laat een enorm grote, onbehoorlijke boer, en dan komt het gas omhoog en jij omlaag. Maar drink het vooral nooit buiten! Je weet nooit hoe hoog je opstijgt. Ik heb het eens aan een oude Oempa-Loempa gegeven in de achtertuin en hij steeg op, steeds hoger en hoger en verdween uit het gezicht! Het was heel droevig, ik heb hem nooit meer teruggezien.'

'Hij had vlug een boer moeten laten,' zei Sjakie.

'Natuurlijk had hij een boer moeten laten,' zei meneer Wonka. 'Ik stond daar nog te schreeuwen: Boer dan, stomme idioot, boer nou toch of je komt nooit meer naar beneden. Maar hij deed het niet. Of hij het niet kon of het niet wilde, dat weet ik niet. Misschien was hij te beleefd om te boeren. Hij moet onderdehand wel op de maan zijn.'

Op een volgende deur stond: VIERKANTE TOFFEES DIE ROND SCHIJNEN.

'Wacht!' riep meneer Wonka plotseling afremmend. 'Ik ben erg trots op mijn vierkante toffees die rond schijnen. Laten we hier eventjes binnengaan.'

132

23

Vierkante toffees die rond schijnen

Iedereen stopte en drong naar de deur. De bovenhelft van de deur was van glas. Opa Jakob tilde Sjakie op, zodat hij beter kon zien, en door het glas heen zag Sjakie een lange tafel en op die tafel lagen rijen en rij-en kleine witte vierkante toffees. De toffees leken precies op suikerklontjes, behalve dan dat er aan één kant een klein raampje op was geschilderd. Aan een eind van de tafel waren een stel Oempa-Loempa's druk bezig om raampjes te schilderen op nog meer toffees.

'Daar heb je ze!' riep meneer Wonka. 'Vierkante toffees die rond schijnen!'

'Ze schijnen mij helemaal niet rond toe,' zei Joris Teevee.

'Ze zien er vierkant uit,' zei Veruca Peper, 'helemaal vierkant.'

'Maar ze *zijn* ook vierkant,' zei meneer Wonka, 'ik heb toch nooit gezegd dat ze dat niet zijn.'

'U zei dat ze *rond* leken,' zei Veruca Peper.

'Dat heb ik helemaal niet gezegd,' zei meneer Wonka, 'ik heb gezegd dat ze rond *schenen*.'

'Maar ze *schijnen* helemaal niet rond te zijn,' zei Veruca Peper. 'Ze schijnen vierkant.'

133

'Ze schijnen rond,' hield meneer Wonka vol.

'Ze schijnen beslist niet rond,' schreeuwde Veruca Peper.

'Veruca, liefje,' zei mevrouw Peper, 'let maar niet op meneer Wonka, hij liegt tegen je.'

'Lieve ouwe koe,' zei meneer Wonka, 'loop naar de maan.'

'Hoe durft u zo tegen mij te spreken!' schreeuwde mevrouw Peper.

'O, hou je waffel dicht,' zei meneer Wonka. 'Kom, nu allemaal opgelet!'

Hij liep naar de deur en draaide het lichtknopje naast de deur om. En plotseling in de duisternis zagen de bezoekers hoe kleine lampjes gingen branden achter de opgeschilderde raampjes van de tof-

fees, die langzaam in het rond begonnen te draaien, net als bij kleine vuurtorentjes.

'En wat zei ik!' riep meneer Wonka triomfantelijk. 'Zien jullie nou wel, ze schijnen rond! We hoeven niet langer ruzie te maken. Dat zijn vierkante toffees, die rond schijnen!'

'Alle drommels, hij heeft gelijk!' zei opa Jakob.

'Kom mee,' zei meneer Wonka. Hij deed het licht weer aan, opende de deur, en begon opnieuw de gang af te lopen.

WIJNBALLEN EN RUMBONEN, stond op de volgende deur die ze passeerden.

'Nou, dat klinkt interessant,' zei de vader van Veruca Peper.

'Prachtspul,' zei meneer Wonka. 'De Oempa-Loempa's zijn er gek op. Het maakt ze enorm vrolijk. Hoor ze daarbinnen eens feestvieren.'

Door de dichte deur heen konden ze gelach en brokstukken van gezang horen.

'Ze zijn zo dronken als kanonnen,' zei meneer Wonka. 'Ze drinken ballenwijn en bonenrum. Bonen-rum-cola en bonenrum-groc zijn erg populair. Volg mij maar weer. We kunnen werkelijk niet steeds stil blijven staan.'

Hij ging linksaf. Hij ging rechtsaf. Ze kwamen bij een lange trap. Meneer Wonka gleed langs de leuning naar beneden, de drie kinderen deden hetzelfde. Mevrouw Peper en mevrouw Teevee, de enig overgebleven vrouwen van het gezelschap, repten zich zo snel mogelijk de trap af. Ze raakten volledig buiten adem. Mevrouw Peper was een groot dik mens met korte beentjes en ze hijgde en blies als een nijlpaard.

'Deze kant op,' riep meneer Wonka, en sloeg onder aan de trap linksaf.

'Kan het niet wat langzamer?' hijgde mevrouw Peper.

'Onmogelijk,' zei meneer Wonka, 'we zouden nooit op tijd komen als we dat deden.'

'Op tijd waar?' vroeg Veruca Peper.

'Doet er niet toe,' zei meneer Wonka, 'wacht maar af.'

24

Veruca in de notenkamer

Meneer Wonka stoof de gang af. DE NOTENKA-MER, stond op de volgende deur die in zicht kwam.

'Goed dan,' zei meneer Wonka. 'We blijven hier even staan om op adem te komen en om even door het glazen raam van de deur te kijken. Maar niet naar binnen gaan! Wat je ook doet, ga NIET de notenka-mer in. Als je naar binnen gaat, stoor je de eekhoorns.'

Iedereen drong om de deur heen.

'O kijk toch eens, opa, kijk!' riep Sjakie.

'Eekhoorns,' schreeuwde Veruca Peper.

'Jeetje,' riep Joris Teevee.

Het was een verbazingwekkend gezicht. Zeker hon-derd eekhoorns zaten op hoge krukken rond een onafzienbaar grote tafel. Op de tafel lagen bergen en bergen walnoten en de eekhoorns werkten als dol-len en kraakten met enorme snelheid de ene noot na de andere.

'Deze eekhoorns zijn speciaal getraind op noten-kraken,' legde meneer Wonka uit.

'Waarom eekhoorns?' vroeg Joris Teevee. 'Waarom gebruikt u geen Oempa-Loempa's?'

'Omdat Oempa-Loempa's de noten niet heel uit de

dop kunnen krijgen. Zij breken ze altijd in tweeën. Niemand, behalve eekhoorns, kan een walnoot telkens in zijn geheel uit de dop krijgen. Dat is verschrikkelijk moeilijk. Maar ik sta erop dat er in mijn fabriek alleen maar hele walnoten gebruikt worden. Daarom moet ik er wel eekhoorns voor nemen. Doen ze het niet fantastisch? En kijk eens hoe ze eerst elke noot met hun knokkeltjes bekloppen om er zeker van te zijn dat hij niet rot is. Als het een rotte is, maakt die een hol geluid en dan nemen ze niet de moeite om hem open te maken. Die gooien ze zo in het vuilnisgat. Daar, kijk maar. Let op die eekhoorn, 't dichtste bij, ik geloof dat hij een rotte noot heeft!'

Ze zagen hoe het eekhoorntje de dop van de walnoot met zijn knokkels beklopte. Hij hield zijn kopje schuin om beter te kunnen luisteren en wierp toen plotseling de noot over zijn schouder in een groot gat in de vloer.

'Hee, mammie,' schreeuwde Veruca Peper ineens, 'ik wil zo'n eekhoorn hebben, ik heb ineens besloten dat ik zo'n eekhoorn wil hebben. Zorg dat ik een van die eekhoorns krijg.'

'Doe niet zo dom, schatje,' zei mevrouw Peper, 'deze zijn allemaal van meneer Wonka.'

'Kan me niks schelen,' schreeuwde Veruca. 'Ik wil er zo een hebben. Thuis heb ik alleen maar twee honden, vier katten, zes konijntjes, twee parkieten, drie kanaries, een groene papegaai, een schildpad, een kom goudvissen, een kooi vol witte muizen en een domme ouwe hamster, ik wil een *eekhoorn!*'

'Goed hoor, lieverd,' zei mevrouw Peper sussend, 'mammie zal zorgen dat jij een eekhoorntje krijgt, zo gauw als ze maar kan.'

'Maar ik wil niet zomaar een eekhoorn,' schreeuwde Veruca, 'ik wil een *getrainde* eekhoorn!'

Nu stapte meneer Peper, Veruca's vader, naar voren. 'Komaan, Wonka,' zei hij gewichtig en haalde een dikke portefeuille vol geld te voorschijn. 'Wat moet je hebben voor een van die idiote eekhoorns? Zeg maar hoeveel.'

'Ze zijn niet te koop,' antwoordde meneer Wonka, 'ze krijgt er geen.'

'Wie zegt van niet!' riep Veruca. 'Ik ga gewoon naar binnen een eekhoorn pakken, nu meteen!'

'Niet doen,' zei meneer Wonka vlug.

Maar het was al te laat. Ze had de deur al opengerukt en rende naar binnen. Op het moment dat ze de kamer binnenging, hielden de honderd eekhoorns op met waar ze mee bezig waren en draaiden hun kopjes, om haar met hun kleine zwarte kraaloogjes aan te staren.

Veruca Peper stond stil en staarde terug.

Toen viel haar oog op een snoezig klein eekhoorntje dat het dichtste bij haar aan de grote tafel zat. De eekhoorn hield een walnoot tussen de pootjes.

'Mooi zo,' zei Veruca Peper, 'jou zal ik hebben!' Ze stak haar handen uit om het te pakken... maar toen ze dat deed... in dat onderdeel van een seconde dat haar handen naar voren bewogen, schoot er een plotselinge flits van beweging door de kamer, en als een bruine bliksemflits vloog iedere eekhoorn om de tafel met één grote sprong naar haar toe en landde op haar lichaam.

Vijfentwintig van hen pakten haar rechterarm vast en drukten hem neer. Vijfentwintig anderen pakten haar linkerarm beet en drukten die neer. Vijfentwintig grepen haar rechterbeen en drukten dat tegen de grond.

*Vier*entwintig grepen haar linkerbeen.

En de ene overgebleven eekhoorn (kennelijk hun aanvoerder) klom op haar schouder en begon klop-klop-klop het hoofd van het arme meisje te bekloppen met zijn knokkels.

'Red haar!' kreet mevrouw Peper. 'Veruca, kom terug! Wat doen ze toch met haar?!'

'Ze proberen of ze rot is,' zei meneer Wonka. 'Kijk maar.' Veruca stribbelde heftig tegen, maar de eekhoorns hielden haar stevig vast en ze kon geen vin verroeren. De eekhoorn op haar schouder be-klop-klop-klopte de zijkant van haar hoofd met zijn knokkels.

Toen trokken de eekhoorns Veruca plotseling allemaal tegelijk over de vloer.

'Grote goedheid, ze is dus inderdaad rot,' zei

meneer Wonka. 'Haar hoofd moet helemaal hol geklonken hebben.'

Veruca schopte en schreeuwde, maar het hielp niets. De kleine sterke pootjes hielden haar stevig vast en ze kon hen niet ontsnappen.

'Waar brengen ze haar heen?' riep mevrouw Peper.

'Ze gaat de weg op van alle rotte noten,' zei meneer Willie Wonka, 'het vuilnisgat in.'

'Verdraaid ja, ze gaat het vuilnisgat in!' zei meneer Peper, die door de glazen deur naar zijn dochter staarde.

'Red haar dan!' gilde mevrouw Peper.

'Te laat,' zei meneer Wonka, 'ze is al weg.'

En dat was ook zo.

'Maar waarheen?' kreet mevrouw Peper en zwaaide met haar armen. 'Wat gebeurt er met al die rotte noten? Waar komt het vuilnisgat uit?'

'Die speciale put mondt rechtstreeks uit in het grote hoofdriool dat al het vuil van alle delen van de fabriek afvoert, alle stof, aardappelschillen, verrotte kool, vissenkoppen en zulke dingen.'

'Wie eet er in deze fabriek nou vis en kool en aardappelen? Dat zou ik wel eens willen weten,' zei Joris Teevee.

'Ik natuurlijk,' zei meneer Wonka. 'Je denkt toch zeker niet dat ik op cacaobonen leef, is het wel?'

'Maar... maar... maar,' krijste mevrouw Peper, 'waar komt dat grote hoofdriool uit?'

'In de oven natuurlijk,' zei meneer Wonka, 'de vuilverbrander.'

Mevrouw Peper opende haar enorm grote mond en begon te gillen.

141

'Maak u geen zorgen,' zei meneer Wonka. 'Er is altijd een kansje dat ze vandaag de oven niet aangestoken hebben.'

'Een kansje!' gilde mevrouw Peper. 'Mijn lieve Veruca, ze... ze zal als een worstje gebakken worden!'

'Dat is zo, liefste,' zei meneer Peper. 'Kijk eens hier, Wonka. Ik vind dat je deze keer toch wat te ver

bent gegaan, dat vind ik bepaald. Mijn dochter mag dan een beetje een flodder zijn, dat zal ik niet ontkennen, maar dat betekent nog niet dat je haar zomaar kunt roosteren. Ik wil je wel vertellen dat ik hier bepaald boos over ben, bepaald boos.'

'Kom, niet boos zijn, waarde heer,' zei meneer Wonka, 'ik verwacht niet anders dan dat ze vroeg of laat wel weer opduikt. Misschien is ze zelfs helemaal niet naar beneden gegleden. Misschien zit ze wel klem in de put, even onder de opening, en als dat het geval is, hoeft u alleen maar naar binnen te gaan om haar eruit te trekken.'

Toen ze dat hoorden holden meneer en mevrouw Peper de notenkamer in, naar het gat in de vloer en tuurden naar beneden.

'Veruca?' schreeuwde mevrouw Peper. 'Ben je daar?'

Er kwam geen antwoord. Mevrouw Peper boog zich verder vooover om beter te kunnen zien. Ze knielde nu precies op de rand van het gat met haar hoofd naar beneden en haar enorme achterwerk in de lucht als een reuzenpaddestoel. Het was een gevaarlijke houding. Er was maar een klein zetje nodig... een zacht duwtje op de juiste plaats... en dat was precies wat de eekhoorns deden.

Ze viel vooover in het gat met haar hoofd naar beneden, krijsend als een papegaai.

'Grote hemel nog an toe,' zei meneer Peper toen hij zijn dikke vrouw in het gat zag duikelen, 'wat zal er een hoop afval zijn vandaag!'

Hij keek haar na in het duister. 'Hoe is het daar beneden, Angina?' riep hij haar na. Hij leunde iets

143

verder voorover. De eekhoorns vlogen van achteren
op hem toe...

'Help!' schreeuwde hij nog. Maar hij duikelde al
voorover en net als zijn dochter en zijn vrouw verdween hij in het vuilnisgat.

'O jeetje,' riep Sjakie, die met de anderen door de
glazen deur toekeek, 'wat gaat er in 's hemelsnaam
met hen gebeuren?'

'Ik neem aan dat iemand ze wel op zal vangen aan
het andere eind van de put,' zei meneer Wonka.

'Maar hoe zit dat dan met die grote hete verbran-
dingsoven?' vroeg Sjakie.

'Die steken ze maar om de dag aan,' zei meneer
Wonka, 'misschien is dit juist een van de dagen waar-

op ze 'm uit hebben laten gaan. Je kunt niet weten, misschien hebben ze geluk.'

'Sssttt!' zei opa Jakob. 'Luister. Er komt weer een lied!'

Van heel ver uit de gang klonk het geroffel van trommels, daarna begon het gezang:

Veruca Peper, die kleine kat,
Verdween zojuist in 't vuilnisgat
(En om de boel compleet te maken,
We houden niet van halve zaken),
Stuurden we haar d'r pa en ma
Onverdroten achterna.

Daar gaat Veruca door 't riool,
't Is weer wat anders dan naar school.
En als ze afdaalt zal ze vinden
Een groep volkomen nieuwe vrinden,
Niet zo beschaafd, correct en chic
Als ze achterliet in de fabriek.

Een muf stuk worst bijvoorbeeld spoedt
Haar vriendlijk lachend tegemoet.
Hallo, hoe gaat het, goedemorgen!
Het glibbert verder zonder zorgen,
En een eindje verderop
Groet haar een rotte vissenkop.

En daar een zwoerd, een hondenbeen,
Een brood, zo keihard als een steen,
Een biefstuk wriemlend van de mieren,
Een kaashomp, boordevol met dieren,

145

Het eten dat de poes liet staan
En wat de poes op de trap had gedaan.

Een rotte noot, een beurse peer,
Wat vieze vellen en nog meer,
Dat zijn nu al die nieuwe vrinden
Die zij in het riool zal vinden.
Dat is de prijs die zij betaalt,
Zij heeft het zich echt zelf aangehaald.

Maar kind'ren, is het nu wel goed
Dat alleen zij voor haar daden boet?
Moet zij dan alle schande dragen?
Dat zou ik wel eens willen vragen.
Een kind dat altijd alles mag,
Heeft dat soms schuld aan slecht gedrag?

Ze is verwend, dat is een feit,
Maar wie verwende de kleine meid?
Wie stemde toe als zij maar gilde?
Wie gaf haar alles wat zij wilde?
Zichzelf verwennen kon ze niet,
Wie deed het dan tot ons verdriet?

Het zijn de ouders van het kind,
Ik zie al dat je 't ook zo vindt.
Daarom dus moesten ze even later
Ook halsoverkop in 't stinkende water.
En daar zwemmen ze nu, tot hun scha,
Hun nare dochtertje achterna.

25

De Grote Glazen Lift

'Zoiets heb ik nog nooit meegemaakt!' riep meneer Wonka. 'De kinderen verdwijnen als konijntjes in een hoge hoed! Maar maak je maar geen zorgen! Ze komen allemaal wel weer terecht.'

Meneer Wonka keek naar het kleine groepje dat naast hem in de gang stond. Er waren nu nog maar twee kinderen over: Joris Teevee en Sjakie Stevens. En er waren nog drie volwassenen over: meneer en mevrouw Teevee en opa Jakob.

'Zullen we maar verder gaan?' vroeg meneer Wonka.

'Hé ja,' riepen Sjakie en opa Jakob tegelijk.

'Mijn voeten worden zo moe,' zei Joris Teevee. 'Ik wil televisiekijken.'

'Als je moe bent, dan kunnen we beter met de lift gaan,' zei meneer Wonka. 'Hier is hij. Vooruit maar. Instappen!' Hij wipte naar een dubbele deur aan de overkant van de gang. De deuren gleden open. De twee kinderen en de volwassenen gingen naar binnen.

'Komaan,' riep meneer Wonka, 'op welk knopje zullen we het eerst drukken. Zoek maar uit.'

Sjakie Stevens keek verbaasd om zich heen. Het was

de gekste lift die hij ooit gezien had. Er zaten overal knopjes. De wanden en zelfs het plafond waren helemaal bedekt met rijen en rijen kleine zwarte drukknopjes! Er moeten er wel duizend op iedere muur geweest zijn, en nog eens duizenden op het plafond. En nu merkte Sjakie dat naast ieder knopje een klein bedrukt kaartje zat, waarop stond naar welke hal of kamer je gebracht zou worden als je erop drukte.

'Dit is geen gewone op-en-neer-lift!' kondigde meneer Wonka fier aan. 'Deze lift kan in de lengte en in de breedte en in de schuinte en in de wat je maar wilt. Je kunt ermee in iedere afdeling van de hele fabriek komen, waar dan ook! Je drukt maar op het knopje en zoef... daar ga je!'

'Fantastisch,' mompelde opa Jakob, en hij staarde met stralende ogen van opwinding naar de rijen en rijen knopjes.

'De hele lift is van dik helder glas gemaakt,' verklaarde meneer Wonka, 'wanden, deuren, plafond, vloer: alles is van glas, zodat je overal naar buiten kunt kijken.'

'Maar er is niets te zien,' zei Joris Teevee.

'Kies maar een knopje,' zei meneer Wonka. 'De twee kinderen mogen ieder op een knopje drukken. Zoek dus maar uit. Maar vlug een beetje. In iedere hal wordt iets prachtigs en heerlijks gemaakt.'

Vlug begon Sjakie te lezen wat er op de kaartjes naast de knopjes stond.

DE ROTSTOFFEEMIJN – 5000 METER DIEP, stond op het ene kaartje.

KOKOSNOTEN-IJSBANEN, op een ander, en AARDBEIENSAP-WATERPISTOLEN

PERENDRUPS-BOMEN OM IN JE TUIN TE PLANTEN – ALLE MATEN

KNALKANDIJ VOOR JE VIJANDEN

LICHTGEVENDE LOLLIES OM 'S NACHTS IN JE BED TE ETEN

KRUISBESSENDROP VOOR DE BUURJONGEN – DAAR HOUDT HIJ EEN MAAND LANG GROENE TANDEN VAN

HOLLE-KIEZEN-VULLENDE CARAMELS – GEEN TANDARTS MEER NODIG

KAAKKLEVERS VOOR PRAATGRAGE OUDERS

KIETELBROKKEN, DIE NA HET INSLIKKEN VERRUKKELIJK IN JE MAAG KIETELEN

ONZICHTBARE CHOCOLADEREPEN OM OP SCHOOL TE ETEN

GECONFIJTE POTLODEN OM OP TE ZUIGEN

PRIKLIMONADE-ZWEMBADEN

BETOVERDE HANDFONDANT, ALS JE HET IN JE HAND HOUDT, PROEF JE HET IN JE MOND

REGENBOOGZUURTJES, – ZUIG EROP EN JE KUNT IN ZES VERSCHILLENDE KLEUREN SPUGEN

'Vlug wat, vlug wat,' riep meneer Wonka, 'we kunnen niet de hele dag op jullie blijven wachten!'

'Is er dan helemaal geen *televisiekamer*?' vroeg Joris Teevee.

'Zeker is er een televisiekamer,' zei meneer Wonka, 'dat knopje daar.'

Hij wees met zijn vinger en iedereen keek. TELE-

149

VISIECHOCOLADE stond op het kaartje ernaast.

'Jippie-ie!' schreeuwde Joris Teevee. 'Die neem ik.' Hij stak zijn duim uit en drukte op het knopje. Met- een klonk een geweldig gesis. De deuren klikten dicht en de lift sprong weg alsof hij door een wesp gestoken was. Maar hij sprong *opzij!* En alle passa- giers, behalve meneer Wonka, die zich vasthield aan een lus die omlaaghing, werden van hun voeten geslagen en vielen op de grond.

'Opstaan, opstaan,' riep meneer Wonka bulderend van het lachen.

Maar net toen ze overeind gekrabbeld waren, ver- anderde de lift van richting, maakte een scherpe zwenking en hoep, daar lagen ze weer.

'Help!' schreeuwde mevrouw Teevee.

'Neem mijn hand, mevrouw,' zei meneer Wonka galant. 'Ziezo. En pak nu deze lus! Laat iedereen een lus pakken. We zijn er nog niet.'

De oude opa Jakob krabbelde op en greep een lus. De kleine Sjakie, die er op geen stukken na bij kon, sloeg zijn armen om opa's benen en klemde zich ste- vig vast.

De lift vloog door, zo snel als een raket. Hij begon nu omhoog te gaan. Hij schoot omhoog, hoger en hoger in een schuine richting, alsof hij een steile berg beklom. Toen plotseling, alsof hij de top van de berg bereikt had en over de rand van een afgrond was gegaan, viel hij als een baksteen naar beneden. Sjakie voelde zijn maag in zijn keel schieten en opa Jakob schreeuwde: 'Jippie, daar gaan we!'

En mevrouw Teevee riep uit: 'Het touw is gebro- ken! We storten neer!'

En meneer Wonka zei: 'Stel u gerust, mijn beste mevrouwtje,' en klopte haar geruststellend op de arm.

En opa Jakob keek naar beneden naar Sjakie, die

151

zich aan zijn benen vastklampte, en vroeg: 'Alles in orde, Sjakie?'

Sjakie schreeuwde: 'Ik vind 't machtig! 't Is net een schip in de vliegende storm.' Door de glaswanden van de lift vingen ze in het voorbijgaan plotselinge flitsen op van vreemde en prachtige dingen die er in enkele hallen gebeurden.

Een enorme spuit, waaruit bruin kleverig spul op de vloer stroomde...

Een grote ruige berg, helemaal van borstplaat, waar de Oempa-Loempa's (die voor de veiligheid met touwen aan elkaar vastzaten) grote stukken borstplaat afhakten met houwelen...

Een machine waaruit wit poeder werd geblazen, als een sneeuwstorm...

Een meer van hete caramel waar de stoom afsloeg...

Een Oempa-Loempa-dorp met kleine huisjes en straatjes en honderden Oempa-Loempa-kinderen, niet groter dan een centimeter of tien, die in de straatjes speelden...

Nu begon de lift weer een wat vlakkere koers te volgen, maar hij ging sneller dan ooit, en Sjakie kon de wind om de voortstuivende lift horen gieren... en naar rechts... en naar links... en omhoog... en omlaag... en...

'Ik moet overgeven,' gilde mevrouw Teevee, die groen zag.

'Alstublieft niet overgeven!' riep meneer Wonka.

'Houd me maar eens tegen,' zei mevrouw Teevee.

'Dan kunt u het beste dit gebruiken,' zei meneer Wonka en hij nam met een zwaai zijn prachtige hoge hoed af en hield die omgekeerd voor mevrouw Tee-vee's mond.

'Laat dit afschuwelijke ding stilstaan,' zei meneer Teevee.

'Dat kan niet,' zei meneer Wonka. 'Hij stopt niet voordat we er zijn. Ik hoop alleen maar dat niemand op dit ogenblik de andere lift gebruikt.'

'Grote grutten,' riep meneer Teevee, 'bedoelt u dat we een botsing kunnen krijgen?'

'Tot dusver heb ik nog altijd geluk gehad,' zei meneer Wonka.

'Nu ga ik *zeker* overgeven,' gilde mevrouw Teevee.

'Nee, nee,' zei meneer Wonka, 'nu niet! We zijn er heus bijna! Bederf mijn hoed niet!'

Het volgende ogenblik klonk er geknars van de remmen en de lift minderde vaart. Ten slotte stond hij stil.

'Dat was me 't ritje wel!' zei meneer Teevee terwijl hij zich met een zakdoek over zijn bezwete gezicht wreef.

'Dat nooit meer,' hijgde mevrouw Teevee.

Toen gleden de liftdeuren open en meneer Wonka zei: 'Een ogenblikje alstublieft! Luister goed! Ik wil dat iedereen in deze kamer heel voorzichtig is. Er zijn hier zeer gevaarlijke dingen en daar mogen jullie niet aanzitten!'

26

De televisiechocoladekamer

De familie Teevee stapte samen met Sjakie en opa Jakob uit de lift een kamer binnen die zo verblindend licht en verblindend wit was, dat ze hun ogen dicht moesten knijpen van de pijn en stilstonden. Meneer Wonka overhandigde iedereen vlug een zonnebril en zei: 'Zet maar vlug op! En hier vooral niet meer afzetten, wat er ook gebeurt. Dit licht zou je blind kunnen maken!'

Zodra Sjakie zijn zonnebril op had kon hij op z'n gemak rondkijken. Hij zag een lange smalle kamer. De kamer was helemaal wit geschilderd. Zelfs de vloer was spierwit, en nergens was één stofje te bekennen. Aan de zolder hingen enorme lampen naar beneden, die de kamer in een helder blauw-wit licht deden baden. De kamer was helemaal leeg behalve aan de uiteinden. Aan het ene eind stond een reusachtige camera op wielen en een heel legertje Oempa-Loempa's drong eromheen om de scharnieren te oliën en de grote glazen lens op te poetsen. De Oempa-Loempa's waren allervreemdst gekleed. Ze droegen helderrode ruimtepakken, met helmen en oogkleppen en al – het leken tenminste ruimtepakken – en zij waren in doodse stilte aan 't werk.

Terwijl hij naar ze keek, kreeg Sjakie het bange gevoel dat er gevaar dreigde.

Er was iets gevaarlijks aan de hele zaak en de Oempa-Loempa's wisten dat. Hier babbelden en zongen ze niet met elkaar; ze bewogen zich langzaam en behoedzaam om de camera in hun scharlaken ruimtepakken.

Aan de andere kant van de kamer, ongeveer vijftig passen van de camera af, zat een enkele Oempa-Loempa (ook met een ruimtepak aan) aan een zwarte tafel naar het scherm van een heel groot televisietoestel te kijken.

'Daar gaan we dan!' riep meneer Wonka, die opgewonden op en neer wipte. 'Dit is de testkamer voor mijn allerlaatste en grootste uitvinding: televisiechocolade.'

'Maar wat is televisiechocolade?' vroeg Joris Teevee.

'Lieve help, kind, val me toch niet steeds in de rede,' zei meneer Wonka, 'het werkt door middel van televisie. Zelf houd ik niet van tv. Ik neem aan dat het in kleine hoeveelheden in orde is, maar kinderen schijnen het nooit bij kleine hoeveelheden te kunnen houden. Ze willen de hele dag zitten staren en staren naar het scherm!'

'Net als ik,' zei Joris Teevee.

'Houd je mond,' zei meneer Teevee.

'Dank u,' zei meneer Wonka. 'Ik zal nu gaan vertellen hoe dit verbazingwekkende televisietoestel van mij werkt. Maar eerst dit, weten jullie hoe een gewone televisie werkt? Het is heel eenvoudig. Aan het ene eind, waar de film wordt opgenomen, heb je een grote filmcamera en ga je iets fotograferen. De foto's worden verdeeld in miljoenen piepkleine stukjes, die zo klein zijn dat je ze niet kunt zien, en die kleine stukjes worden dan door elektriciteit de lucht ingeschoten. In de lucht blijven ze rondvliegen tot ze een antenne ergens op een dak ontmoeten. Daar flitsen ze naar beneden langs de draad, die uitkomt in de achterkant van het televisietoestel, en daar worden ze net zolang gehutseld en geklutst tot ieder van die miljoenen kleine stukjes weer op de juiste plaats is gekomen (net als een legpuzzel) en hoepla! – de foto verschijnt op de beeldbuis...'

'Zo werkt het niet precies,' zei Joris Teevee.

'Ik ben een beetje doof aan mijn linkeroor,' zei meneer Wonka. 'Je moet me maar niet kwalijk nemen dat ik niet precies versta wat je zegt.'

'Ik zei dat het niet precies zo werkt!' brulde Joris Teevee.

'Je bent een beste jongen,' zei meneer Wonka, 'maar je praat te veel. Luister verder. De allereerste keer dat ik een gewone televisie in werking zag, kreeg ik een geweldig idee. Kijk eens hier, schreeuwde ik, als die mensen een foto in miljoenen stukjes kunnen breken en die stukjes door de lucht kunnen laten vliegen, en aan het andere eind weer in mekaar kunnen zetten, waarom kan ik datzelfde dan niet doen met een chocoladereep? Waarom kan ik een echte chocoladereep niet in piepkleine stukjes door de lucht laten vliegen en dan de stukjes aan 't andere eind in mekaar zetten, klaar om opgegeten te worden?'

'Onmogelijk,' zei Joris Teevee.

'Denk je dat?' riep meneer Wonka. 'Kijk hier dan maar eens. Ik zal nu een reep van mijn allerfijnste chocolade van de ene kant van de kamer naar de andere zenden, door middel van televisie. Maak alles klaar! Breng de chocola naar binnen.'

Onmiddellijk marcheerden zes Oempa-Loempa's

naar voren met de grootste chocoladereep die Sjakie ooit gezien had. Hij was ongeveer zo groot als het matras waar hij thuis op sliep.

'Hij moet zo groot zijn,' legde meneer Wonka uit, 'want wat je ook zendt door middel van de televisie, het komt er altijd veel kleiner uit dan het was toen het er inging. Zelfs bij gewone televisie is het zo, dat wanneer je een grote man fotografeert, hij nooit groter is dan een potlood op het scherm, nietwaar? Daar gaan we dan! Maak je gereed! *Nee, nee! Stop! Ophouden!* Jij daar, Joris Teevee! Achteruit! Je staat te dicht bij de camera! Er komen gevaarlijke stralen uit dat ding! Ze zouden je in één seconde in miljoenen kleine stukjes breken! Dat is de reden dat de Oempa-Loempa's ruimtepakken dragen. Die pakken beschermen hen. Goed dan! Zo is het beter! Ja? *Aanzetten!'*

Een van de Oempa-Loempa's greep een grote hendel en duwde hem naar beneden. Er was een verblindende lichtflits.

'De chocola is weg!' schreeuwde opa Jakob en zwaaide met zijn armen.

Hij had gelijk. De hele enorme reep was in rook opgegaan.

'Hij is onderweg,' riep meneer Wonka. 'Hij suist nu door de lucht boven onze hoofden in een miljoen kleine stukjes. Vlug! Kom hierheen!' Hij stormde naar het andere eind van de kamer, waar het grote televisietoestel stond en de anderen volgden hem. 'Kijk naar het scherm!' riep hij. 'Daar komt hij. Kijk!'

Het scherm flikkerde en werd licht. Plotseling verscheen er een kleine chocoladereep op het scherm.

'Pak hem,' schreeuwde meneer Wonka, die steeds meer opgewonden raakte.

'Hoe kan je die nou pakken,' zei Joris Teevee, 'het is maar een plaatje op een televisiescherm.'

'Jacques Stevens,' riep meneer Wonka, 'pak jij 'm maar. Steek je hand uit en pak hem.'

Sjakie stak zijn hand uit, raakte het scherm aan en plotseling als door een wonder hield hij de reep tussen zijn vingers. Hij was zo verbaasd dat hij hem bijna liet vallen.

'Eet hem maar op,' schreeuwde meneer Wonka. 'Vooruit maar, eet 'm op. Hij zal verrukkelijk smaken! Het is dezelfde reep. Hij is alleen onderweg wat kleiner geworden, dat is alles.'

'Het is gewoon fantastisch!' hijgde opa Jakob. ''t Is... 't is... een wonder!'

'Stel je eens voor,' riep meneer Wonka, 'wanneer ik dit door het hele land ga gebruiken. Je zit thuis naar de televisie te kijken en plotseling komt de reclame. Een stem zegt: ''EET WONKA'S CHOCOLADE, DE BESTE VAN DE HELE WERELD! ALS JE 'T NIET GELOOFT, PROEF ER DAN MAAR EENTJE! NU!'' En je steekt gewoon je hand uit en neemt er een. Nou, wat zeg je me daarvan?'

'Geweldig,' riep opa Jakob, 'het zal de hele wereld veranderen!'

27

Joris Teevee wordt per televisie verzonden

Joris Teevee was nog geestdriftiger dan opa Jakob bij het zien van een chocoladereep die per televisie verzonden werd.

'Maar, meneer Wonka,' schreeuwde hij, 'kun je ook *andere dingen* op dezelfde manier door de lucht versturen? Havermout bijvoorbeeld?'

'O goeie genade,' riep meneer Wonka, 'spreek niet over dat walgelijke spul waar ik bij ben! Weet je waar dat van gemaakt is? Van al die kleine krullerige schaafseltjes die je in puntenslijpers vindt.'

'Maar u zou het per televisie kunnen verzenden als u dat wou, net als chocolade, nietwaar?' vroeg Joris Teevee.

'Natuurlijk.'

'En mensen?' vroeg Joris Teevee. 'Zou je een echt levend mens van de ene plaats naar de andere kunnen sturen op dezelfde manier?'

'EEN MENS!' riep meneer Wonka. 'Ben je nou helemaal knots!'

'Maar zou het gedaan kunnen worden?'

'Goeie hemel, kind, ik weet het echt niet... ik neem aan van wel... ja, ik ben er haast zeker van dat het mogelijk is. Natuurlijk wel... Ik zou het alleen niet graag riskeren... Het zou wel eens heel vervelende resultaten kunnen opleveren.'

Maar Joris Teevee rende al weg. Zodra hij meneer Wonka hoorde zeggen: '...ik ben er haast zeker van dat het mogelijk is...' draaide hij zich om en begon zo hard als hij kon naar het andere eind van de kamer te rennen, waar de grote camera stond.

'Kijk naar me,' schreeuwde hij onder het rennen, 'ik word de eerste mens ter wereld die door middel van de televisie verzonden wordt!'

'Nee, nee, nee,' riep meneer Wonka.

'Joris!' krijste mevrouw Teevee. 'Houd op. Kom terug! Joris! Je zult in miljoenen stukjes worden gehakt!'

Maar niets kon Joris Teevee meer tegenhouden. De stapelgekke jongen holde door en toen hij de grote camera bereikt had, sprong hij regelrecht naar de hendel, terwijl hij links en rechts Oempa-Loempa's rondstrooide.

'Tot straks allemaal!' schreeuwde hij, en terwijl hij de hendel omlaag drukte, sprong hij midden in de volle gloed van de machtige lens.

Er was een verblindende lichtflits. Daarna doodse stilte.

Toen holde mevrouw Teevee naar voren... maar midden in de kamer bleef ze stokstijf staan... en daar stond ze te staren en te staren, naar de plaats waar haar zoontje was geweest... en haar grote rode mond ging wijdopen en ze gilde: 'Hij is weg, hij is weg!'

'Grote hemel, hij is echt weg,' riep meneer Teevee.

Meneer Wonka haastte zich naar voren en legde

zijn hand zachtjes op de schouders van mevrouw Teevee. 'We zullen er maar het beste van hopen,' zei hij.
'We moeten maar bidden dat uw jongen er ongedeerd aan de andere kant weer uitkomt.'

'Joris,' krijste mevrouw Teevee, haar handen tegen
haar hoofd gedrukt. 'O, waar ben je?'

'Ik zal u zeggen waar hij is,' zei meneer Wonka, 'hij
suist boven ons rond in een miljoen kleine stukjes.'

'Praat me er niet van,' jammerde mevrouw Teevee.

'We moeten maar naar de televisie gaan kijken,' zei
meneer Wonka. 'Hij kan elk ogenblik doorkomen.'

Meneer en mevrouw Teevee en opa Jakob en klei-

162

ne Sjakie en meneer Wonka verzamelden zich rond de televisie en staarden gespannen naar het scherm. Het scherm was helemaal leeg.

'Hij doet er verrekt lang over om door te komen,' zei meneer Teevee, die zijn voorhoofd afveegde.

'O jee, o jee,' zei meneer Wonka, 'ik hoop maar dat er geen stukjes achterblijven.'

'Wat in de wereld bedoelt u?' vroeg meneer Teevee scherp.

'Ik wil u niet aan 't schrikken maken,' zei meneer Wonka, 'maar het gebeurt soms dat maar ongeveer de helft van de stukjes in het televisietoestel terechtkomt. Vorige week nog gebeurde het. Ik weet niet waarom, maar de chocoladereep kwam toen maar voor de helft door.'

Mevrouw Teevee gaf een kreet van afschuw. 'Bedoelt u dat we Joris maar voor de helft terugkrijgen,' riep ze.

'De bovenhelft, laten we hopen,' zei meneer Teevee.

'Stil allemaal,' zei meneer Wonka. 'Kijk naar het scherm. Er gebeurt iets!'

Het scherm was plotseling weer gaan flikkeren.

Toen verschenen er enkele golvende lijnen. Meneer Wonka verstelde een van de knoppen en de golvende lijnen verdwenen. En nu, heel langzaam, begon het scherm al lichter en lichter te worden.

'Daar komt ie,' gilde meneer Wonka, 'ja hoor! Daar heb je 'm.'

'Is hij helemaal heel?' riep mevrouw Teevee.

'Daar ben ik nog niet zeker van,' zei meneer Wonka, 'ik kan het nog niet zeggen.'

Eerst vaag, maar iedere seconde helderder en duidelijker, verscheen het beeld van Joris Teevee op het scherm. Hij stond rechtop en wuifde naar de kijkers en lachte breed van oor tot oor.

'Maar hij is een dwerg geworden,' riep meneer Teevee.

'Joris!' riep mevrouw Teevee. 'Is alles goed met je? Mis je geen stukjes?'

'Wordt hij niet groter?' schreeuwde meneer Teevee.

'Praat tegen me, Joris,' riep mevrouw Teevee. 'Zeg iets! Zeg me dat alles goed met je is.'

Een heel klein stemmetje, niet harder dan het piepen van een muis, kwam uit het televisietoestel. 'Ha mam!' zei het. 'Ha die pap! Kijk naar mij! Ik ben de eerste mens die ooit per televisie verzonden is!'

'Pak 'm. Vlug!' beval meneer Wonka. 'Vlug!'

De hand van mevrouw Teevee schoot uit en pikte het kleine figuurtje van Joris Teevee van het scherm.

'Hoera!' riep meneer Wonka. 'Hij is helemaal heel. Hij is volkomen ongedeerd!'

'Noemt u dat ongedeerd?' snauwde mevrouw Teevee, die naar het pieterkleine jongetje tuurde terwijl hij wild over de palm van haar hand rende en zwaaide met zijn pistolen.

Hij was niet groter dan drie centimeter.

'Hij is gekrompen!' zei meneer Teevee.

'Natuurlijk is hij gekrompen,' zei meneer Wonka, 'wat verwachtte u dan?'

'Het is verschrikkelijk,' jammerde mevrouw Teevee. 'Wat moeten we nou beginnen?'

En meneer Teevee zei: 'We kunnen hem toch zo

164

niet naar school terugsturen. Er zou op hem getrapt worden. Hij zou verpletterd worden!'

'Hij zal nooit meer *iets* kunnen doen,' riep mevrouw Teevee.

'O zeker wel,' piepte het kleine stemmetje van Jorisje. 'Ik kan nog best televisiekijken.'

'*Nooit meer,*' schreeuwde meneer Teevee, 'ik kwak dat ding het raam uit, zodra ik thuis ben. Ik heb voorgoed genoeg van televisie.'

Toen hij dat hoorde, kreeg Joris Teevee een vreselijke woedeaanval. Hij begon op en neer te springen op de palm van zijn moeders hand, krijsend en gillend, en hij probeerde haar in de vingers te bijten. 'Ik wil televisiekijken,' piepte hij. 'Ik wil televisiekijken! Ik wil televisiekijken!'

'Hier! Geef maar aan mij!' zei meneer Teevee en hij nam het kleine ventje, schoof hem in het borstzakje van zijn jas en propte er een zakdoek bovenop. Kreetjes en gilletjes kwamen vanuit het zakje en 't hele zakje schudde terwijl de woedende kleine gevangene vocht om eruit te komen.

'O meneer Wonka,' jammerde mevrouw Teevee, 'hoe kunnen we hem laten groeien?'

'Tja,' zei meneer Wonka, streek over zijn baardje en keek nadenkend naar het plafond, 'ik moet zeggen, dat is wel een beetje lastig. Maar kleine jongens zijn gelukkig uiterst veerkrachtig en elastisch. Zij rekken verdraaid goed op. Dus wat we gaan doen is dit: we doen hem in een speciale machine, die ik heb om de rekbaarheid van kauwgum te testen. Misschien dat die hem in zijn oude vorm terugbrengt.'

'Hè, dank u wel,' zei mevrouw Teevee.

'Geen dank, geen dank, geen dank, lieve dame.'

'Hoever denkt u dat hij nog oprekt?' vroeg meneer Teevee.

'Kilometers misschien,' zei meneer Wonka, 'wie weet? Maar hij wordt dan wel ongelofelijk dun. Alles wat je oprekt wordt dun.'

'Net als kauwgum, bedoelt u?' vroeg meneer Teevee.

'Precies.'

'Hoe dun zou hij worden?' vroeg mevrouw Teevee bezorgd.

'Daar heb ik geen flauw idee van,' zei meneer Wonka. 'En dat is ook niet echt belangrijk. Want we zullen hem gauw genoeg weer aandikken. We hoeven hem alleen maar een driedubbele dosis van mijn fantastische supervitaminenhopje toe te dienen. Supervitaminenhopjes bevatten enorme hoeveelheden vitamine A en vitamine B. Bovendien bevatten ze vitamine C, vitamine D, vitamine E, vitamine F, vitamine G, vitamine I, vitamine J, vitamine K, vitamine L, vitamine M, vitamine N, vitamine O, vitamine P, vitamine Q, vitamine R, vitamine T, vitamine U, vitamine V, vitamine W, vitamine X, vitamine Y en, geloof het of niet, ook nog vitamine Z! De enige twee vitaminen die er niet in zitten zijn vitamine S, omdat je daar misselijk van wordt, en vitamine H, omdat je daarvan hoorntjes op je hoofd krijgt groeien, net als een stier. Maar er zit wel een heel klein beetje van de zeldzaamste en meest magische van alle vitaminen in: vitamine Wonka!'

'En wat krijgt hij daarvan?' vroeg meneer Teevee bezorgd.

'Dat zal zijn tenen doen groeien tot ze net zo lang zijn als zijn vingers.'

'O nee!' riep mevrouw Teevee.

'Doe niet zo mal,' zei meneer Wonka. 'Daar kan hij veel plezier van hebben. Hij zal piano kunnen spelen met zijn voeten...'

'Maar, meneer Wonka...'

'Geen discussies alstublieft!' zei meneer Wonka. Hij draaide zich om en knipte driemaal met de vingers in de lucht. Onmiddellijk verscheen er een Oempa-Loempa naast hem. 'Volg deze instructies op,' zei

meneer Wonka en gaf de Oempa-Loempa een papiertje waarop hij uitgebreide aanwijzingen had geschreven. 'Je zult 't jongetje in zijn vaders zak vinden. Ga maar gauw. Vaarwel, meneer Teevee. Vaarwel mevrouw Teevee. En toe, kijk niet zo angstig! Heus, het komt allemaal weer op zijn pootjes terecht, ze komen stuk voor stuk weer goed...'

Aan het einde van de kamer waren de Oempa-Loempa's rond de reuzencamera al bezig op hun trommeltjes te slaan en zich op het ritme heen en weer te bewegen.

'Daar gaan ze weer,' zei meneer Wonka. 'Ik ben bang dat niemand ze met zingen kan laten ophouden.'

Kleine Sjakie greep opa Jakobs hand en zij stonden beiden naast meneer Wonka, midden in de grote lichte kamer, naar de Oempa-Loempa's te luisteren. En dit is wat zij zongen:

De beste raad die ik kan geven
Om een kind te leren leven,
Is: ALTIJD, ALTIJD *zeggen: nee!*
Als hij kijken wil naar de tv.
Nog beter, heb je kinderen thuis,
Neem dan geen toestel in je huis.
En als je 't ding soms al hebt staan,
Gooi het dan rustig uit het raam.
Want bijna overal waar we waren
Zagen wij kinderen eindloos staren.
Ze hingen en bengelden maar wat rond
En staarden stom met open mond.
Hun ogen rolden uit hun hoofd

Je had het bijna niet geloofd.
Wijdopen stonden ook hun monden
Alsof ze ze niet meer sluiten konden.
En ze staren-zitten-zitten-staren
Als dooie vissen, halve garen,
Totdat ze volgegoten zijn
Met kullebul en domme gein.
O ja, ze zitten lekker stil
En dat is net wat moeder wil.
Geen bomen klimmen, geen gestoei
En nergens rommel of geknoei.
Moeder gaat fijn aan de was
Of leest een boek op het terras.
Maar beseft ze dan wel goed
Wat de televisie doet
Met haar kleine lievelingen,
Die daar voor de beeldbuis hingen?
HUN HERSENS ROTTEN IN HUN HOOFD!
VERBEELDINGSKRACHT WORDT UITGEDOOFD!
ZINTUIGEN WORDEN AFGESTOMPT!
IETS DAT DOOR AL DAT STAREN KOMT.
DE KINDEREN WORDEN BLIND EN DOM!
HUN HERSENS TREKKEN LANGZAAM KROM,
TOTDAT ZE NIETS MEER KUNNEN SNAPPEN,
GEEN GOED VERHAAL, GEEN LEUKE GRAPPEN!
ZE DENKEN NIET MEER – ZE KIJKEN MAAR,
ALLE PROGRAMMA'S NA ELKAAR!
'Goed,' roept een moeder, 'dat klinkt mooi,
Maar als ik de tv weggooi
Hoe moet in huis mijn arme schat
Zich amuseren? Hoe moet dat?'
En nu gaan wij een vraagje vragen:

Hoe ging dat dan in vroeger dagen?
Hoe dacht je dat ze leven konden
Voordat dat ding was uitgevonden,
Zo rustig en zo welgemoed?
Wij zeggen het kort en goed.
Ze... LAZEN... LAZEN... LAZEN... LAZEN...
En als de kaars werd uitgeblazen
Dan lazen ze bij 't licht der maan.
Ze hadden rijen boeken staan,
Om vlogen dan de lange uren
Bij het lezen van de avonturen.
In kinderkamers stonden boeken
Op alle planken, in alle hoeken,
En naast hun bed (zelfs naast de wc)
Lag altijd wel een boek of twee.
Ze lazen sprookjes en verhalen
Van koningen in grote zalen,
Van dappre kinderen in verre landen
En smokkelaars met contrabande
En de sprookjes van Grimm, Wiplala en Dik Trom
En van Winnie de Poeh en Pim en Pom.
Ze werden geboeid door enge geheimen
Of door avonturen van kleine konijnen.
Ze lazen van Tijl, die grote zot,
Of over de reizen van Don Quichot.
O mensen, wat was het toch vroeger fijn
Om zonder een tv te zijn.
Willen ouders dus af van dat malle gestaar,
Vooruit dan maar, eerst de tv in mekaar.
En ook nog de radio. Kom, voor de grap,
Gooien we alles van de trap.
En roepen de kinderen: 'O, o, de tv.'

Dan zeg je: ' 't Is uit, we doen niet meer mee!'
Let niet op hun gillen en huilen en janken
En schoppen of slaan met stokken en planken.
Want, reken erop, na een week of twee
Denken ze nooit meer aan die tv.
Bedenk eens wat fijn, dan gaan ze weer lezen
Over heksen en helden, boeven en wezen!
Ze kiezen het zelf op hun eigen tijd,
Geen wachten of andere narigheid.
En weet je wat ze dan vreemd gaat lijken?
Dat ze toen urenlang konden kijken.
Ze denken: Wat heb ik toch gezien
In die enge stompzinnige kijkmachien?
Geen sprake is er dan meer van leed
Ze zijn nog blij om wat je deed!

P.S. En wat komt er van Joris Teevee terecht?
Voorlopig gaat het hem nog erg slecht.
We moeten maar zien dat hij nog wat groeit.
Zo niet, dan heeft hij het zelf verknoeid.

28

Alleen Sjakie nog over

'En welke kamer zullen we nu eens nemen?' zei meneer Wonka terwijl hij zich omdraaide en de lift insprong. 'Vooruit, opschieten! We moeten weer verder! En hoeveel kinderen zijn er nu nog over?'

Kleine Sjakie keek opa Jakob aan en opa Jakob keek Sjakie weer aan.

'Maar, meneer Wonka,' riep opa Jakob hem na, 'er is... er is alleen Sjakie nog maar over.'

Meneer Wonka wervelde rond en staarde naar Sjakie.

Er viel een stilte. Sjakie stond daar maar en hield stevig opa's hand vast.

'Bedoel je dat jij als enige overgebleven bent?' vroeg meneer Wonka, die net deed alsof hij heel verwonderd was.

'Eh ja,' fluisterde Sjakie, 'ja.'

Meneer Wonka plofte nu plotseling bijna uit elkaar van opwinding.

'Maar mijn *beste jongen,*' riep hij uit, *'dat betekent dat jij gewonnen hebt!'*

Hij snelde de lift weer uit en begon Sjakie's hand zo wild te schudden, dat hij er bijna afvloog. 'Ik felici-

teer je van harte,' riep hij, 'van ganser harte. Ik ben
werkelijk verrukt. Het had niet beter uit kunnen
komen! Wat is dat prachtig! Ik had al zo'n idee, weet
je, al dadelijk in het begin, dat jij het zou worden.
Keurig gedaan, Jacques, keurig! Dat is geweldig! Nu
gaat de pret pas goed beginnen. Maar we moeten

niet teuten! We moeten niet treuzelen! We hebben nu nog minder tijd te verliezen dan ooit! We hebben nog *enorm* veel te doen vandaag! Denk maar eens aan al de regelingen die getroffen moeten worden! En aan al de mensen die we halen moeten! Maar gelukkig hebben we de grote glazen lift om er een beetje vaart achter te zetten! Spring er maar in, mijn beste Jacques, spring er maar in! En ook u, opa Jakob, meneer Jakob! Nee, nee, na u! Ziezo. Komaan! *Dit keer kies ik het knopje uit om op te drukken!'*

Meneer Wonka's helder twinkelende blauwe oogjes bleven een ogenblik op Sjakie's gezicht rusten.

Nu gaat er iets geks gebeuren, dacht Sjakie. Maar bang was hij niet. Hij was niet eens gespannen. Hij was alleen maar ontzettend opgewonden. En opa Jakob ook. Het gezicht van de oude man straalde van opwinding terwijl hij iedere beweging van meneer Wonka nauwlettend gadesloeg. Meneer Wonka reikte naar een knopje dat hoog tegen het plafond van de lift zat. Sjakie en opa Jakob rekten hun halzen om te zien wat er op het kaartje naast het knopje stond.

Er stond... OMHOOG EN ERUIT!

Omhoog en eruit? dacht Sjakie, wat kan dat voor fabriekshal zijn?

Meneer Wonka drukte op de knop. De glazen deuren gingen dicht.

'Houd je vast!' riep meneer Wonka.

En toen WHAM!... De lift schoot als een raket omhoog. 'Jippie!' schreeuwde opa Jakob. Sjakie klemde zich vast aan opa's benen en meneer Wonka hield zich vast aan een lus aan het plafond. Steeds hoger en hoger klommen ze, recht omhoog dit keer, zonder bochten en omwegen, en Sjakie kon de wind buiten horen gieren om de lift, die al sneller en sneller ging.

'Jippie!' schreeuwde opa Jakob. 'Jippie! Daar gaan we!'

'Vlugger!' riep meneer Wonka en bonkte met zijn hand op de wand van de lift. 'Vlugger! Vlugger! Als we niet wat vlugger gaan dan nu, komen we er nooit door!'

'Waardoor?' schreeuwde opa Jakob. 'Waar moeten we dan doorheen?'

'Aha!' riep meneer Wonka. 'Wachten jullie maar af! Ik hunker er al jaren naar om deze knop in te drukken! Maar tot nu toe heb ik het nog nooit gedaan! Ik was vaak in de verleiding. O ja, en óf ik in verleiding was! Maar ik kon de gedachte niet verdragen, zo'n groot gat in het dak van de fabriek te stoten. Daar gaan we dan, jongens! Omhoog en eruit!'

'Maar u bedoelt toch niet...' schreeuwde opa Jakob, 'u bedoelt toch niet echt dat deze lift...'

'Nou en of,' antwoordde meneer Wonka. 'Wacht maar af. Omhoog en eruit.'

'Maar... maar... maar... hij is van glas!' riep opa Jakob. 'Hij zal in miljoen stukjes breken!'

'Misschien wel,' zei meneer Wonka even blij en opgewekt als altijd, 'maar het is anders wel erg dik glas, hoor.'

De lift racete door, al hoger en hoger en hoger, al sneller en sneller en sneller...

Toen plotseling, KLATS! BENG!... er klonk een

donderend geraas van versplinterend hout en bre-
kende dakpannen vlak boven hun hoofd, en opa
Jakob schreeuwde: 'Help! Dit is het einde! Het is
met ons gedaan!' En meneer Wonka zei: 'Nee, dat is
het niet! We zijn erdoorheen! We zijn eruit!'

En ja hoor, de lift was recht door het dak van de
fabriek heengeschoten en steeg nu als een raket de
lucht in. De zon scheen door het glas naar binnen.
In vijf seconden waren ze wel duizend meter de lucht
in.

'De lift is dol geworden!' schreeuwde opa Jakob.

'Wees maar niet bang, mijn beste meneer,' zei
meneer Wonka kalm, en hij drukte op een ander
knopje. De lift stond stil. Hij stond stil en hing in de
lucht zwevend als een helikopter, zwevend boven de
fabriek en boven de hele stad, die als een prentbrief-
kaart onder hen lag uitgespreid. Sjakie keek omlaag
door de glazen vloer en zag de kleine verre huisjes
en de straten en de sneeuw, die alles met een dikke
laag bedekte. Het was een spookachtig en angstwekkend iets om op helder glas te staan zo hoog in de
lucht. Je had het gevoel dat je op helemaal niets
stond!

'Is alles in orde?' riep opa Jakob. 'Hoe blijft dit
ding hangen?'

'Op suikergoedkracht!' zei meneer Wonka. 'Een
miljoen suikergoedkracht! O kijk,' riep hij en wees
naar beneden, 'daar gaan de andere kinderen! Zij
gaan vast naar huis!'

29

De andere kinderen gaan naar huis

'We *moeten* wel even naar beneden gaan om naar onze kleine vriendjes te kijken, voordat we ergens anders aan beginnen,' zei meneer Wonka. Hij drukte op weer een andere knop en de lift daalde en hing al spoedig precies boven de toegangspoort van de fabriek. Sjakie kon de kinderen en hun ouders in kleine groepjes net binnen de hekken zien staan.

'Ik zie er maar drie,' zei hij, 'wie ontbreekt er nog?'

'Joris Teevee, denk ik,' zei meneer Wonka, 'maar hij zal gauw genoeg komen. Zie je die vrachtwagens?'

Meneer Wonka wees naar een rij reusachtige gesloten vrachtwagens, die vlak achter elkaar geparkeerd stonden.

'Ik zie ze,' zei Sjakie, 'maar waar zijn ze voor?'

'Herinner je je niet wat er op de Gouden Toegangskaarten stond? Ieder kind gaat naar huis met genoeg snoep voor de rest van zijn leven. Er is voor ieder een vrachtauto tot de nok toe volgeladen. Aha!' ging meneer Wonka verder, 'daar gaat onze vriend Caspar Slok. Zie je 'm? Hij stapt daar in die eerste vrachtauto met zijn vader en moeder!'

'Bedoelt u dat hij werkelijk weer helemaal in orde

is gekomen?' vroeg Sjakie verbaasd. 'Zelfs nadat hij door die enge pijp opgeslokt werd?'

'Hij is zelfs bijzonder goed in orde,' zei meneer Wonka.

'Hij is wel veranderd,' zei opa Jakob. 'Eerst was hij zo dik! Hij is nu zo mager als een riet!'

'Allicht is hij veranderd,' zei meneer Wonka lachend, 'hij is immers samengeperst in die pijp, weet u niet meer? En kijk! Daar gaat jonge juffrouw Violet Beauderest, de grote kauwgumkauwster! Het ziet ernaar uit dat het uitpersen goed gelukt is. Daar ben ik erg blij om. En wat ziet ze er goed uit! Veel beter dan eerst!'

'Ze is nog wel paars,' zei opa Jakob.

'Kom,' zei meneer Wonka, 'een beetje violet maar, dat past goed bij haar naam, en het staat haar erg goed.'

'Grote hemel,' riep Sjakie, 'kijk toch eens naar die arme Veruca Peper en meneer en mevrouw Peper!

Ze zitten gewoon *onder* de viezigheid!'

'En daar komt Joris Teevee,' zei opa Jakob. 'Lieve help, wat is die veranderd! Hij is bijna twee meter lang en zo dun als een potlood.'

'Ze hebben hem iets te ver uitgerekt in de kauwgum- rekmachine,' zei meneer Wonka, 'wel wat slordig.'

'Wat erg voor hem!' riep Sjakie.

'Onzin,' zei meneer Wonka, 'hij boft. Alle atletiek- verenigingen in het hele land zullen om hem vechten, let maar eens op. Denk je eens in hoe hard hij zal kun- nen lopen en hoe hoog hij zal kunnen springen; hij zal nooit meer tijd hebben voor de tv. Maar nu,' voegde hij eraan toe, 'is het tijd om deze vier domme kinde- ren te laten voor wat ze zijn. Ik heb iets heel belang- rijks met je te bepraten, mijn beste Jacques!' Meneer Wonka draaide zich om, drukte op een andere knop en de lift ging de lucht weer in.

30

Sjakie's chocoladefabriek

De grote glazen lift zweefde nu hoog boven de stad. In de lift stonden meneer Wonka, opa Jakob en kleine Sjakie. 'Als je eens wist hoe dol ik op mijn fabriek ben,' zei meneer Wonka, die naar beneden keek. Toen zweeg hij en draaide zich om.

Hij keek Sjakie met een heel ernstige uitdrukking op zijn gezicht aan. 'Ben jij er dol op, Jacques?' vroeg hij.

'O ja,' riep Sjakie, 'ik vind dat het de prachtigste plaats van de hele wereld is.'

'Het doet me plezier dat je dat zegt,' zei meneer Wonka en keek ernstiger dan ooit. Hij bleef Sjakie strak aankijken. 'Ja,' zei hij, 'het doet me werkelijk veel genoegen dat te horen. En nu zal ik je zeggen waarom.' Meneer Wonka hield zijn hoofd scheef en meteen verschenen er kleine twinkelende lachrimpeltjes rond zijn ooghoeken. Hij zei: 'Zie je, mijn beste jongen, ik heb het besluit genomen jou de hele zaak cadeau te doen. Zodra je oud genoeg bent om hem te leiden, is de hele fabriek van jou.'

Sjakie staarde meneer Wonka aan. Opa Jakob deed zijn mond open om iets te zeggen, maar hij kon geen woord uitbrengen.

''t Is echt waar,' zei meneer Wonka, en nu glim-lachte hij vriendelijk. 'Ik geef hem werkelijk aan jou. Dat wil je toch wel, hè?'

'Aan hem *geven?*' bracht opa Jakob uit, die naar adem snakte. 'U maakt een grapje.'

'Ik maak geen grapje, mijn waarde heer. Ik ben doodernstig.'

'Maar... maar... waarom zou u uw fabriek aan klei-ne Sjakie willen geven?'

'Luister,' zei meneer Wonka, 'ik ben een oude man. Ik ben veel ouder dan jullie denken. Ik kan niet altijd door blijven gaan. Ik heb zelf geen kinderen en geen enkel familielid. Dus wie moet de zaak drijven als ik te oud ben geworden om het zelf te doen? *Iemand* moet de zaak drijvende houden, al is het alleen voor de Oempa-Loempa's. Let wel, er zijn duizenden knappe koppen, die er alles voor over zouden hebben in de zaak te komen en hem van mij over te nemen, maar zo iemand wil ik niet. Ik wil helemaal geen volwassene. Een volwassene zou niet naar me luisteren, die wil niet van mij leren. Hij zal de dingen op zijn eigen manier proberen te doen, en niet op mijn manier. Dus moet ik wel een kind hebben. Ik wil een goed, verstandig, toegewijd kind, waar ik al mijn kostbare geheimen op het gebied van chocola en suikerwerk maken aan kan toevertrouwen terwijl ik nog leef.'

'Dus daarom gaf u de Gouden Toegangskaarten uit!' riep Sjakie.

'Precies!' zei meneer Wonka. 'Ik besloot vijf kinde-ren in de fabriek uit te nodigen, en degene die ik aan 't eind van de dag het aardigst vond, zou de winnaar zijn.'

'Maar, meneer Wonka,' stamelde opa Jakob, 'u bedoelt dus wis en waarachtig dat u deze enorme fabriek aan onze kleine Sjakie gaat geven? Per slot van rekening...'

'Geen tijd meer voor geredeneer,' riep meneer Wonka, 'we moeten meteen de rest van de familie gaan halen. Jacques' vader en zijn moeder, en wie er nog verder is. Zij kunnen van nu af aan in de fabriek wonen, en ze kunnen allemaal meehelpen met de leiding van de fabriek, tot Jacques oud genoeg is om het alleen te doen. Waar woon je, Jacques?'

Sjakie tuurde door de glazen lift naar de ondergesneeuwde huizen. 'Daar is het,' zei hij en wees. 'Het is dat kleine huisje net aan de rand van de stad, dat hele kleintje...'

'Ik zie het!' riep meneer Wonka, en hij drukte op nog een paar knoppen en de lift schoot naar beneden naar Sjakie's huis.

'Ik ben bang dat moeder niet met ons mee kan gaan,' zei Sjakie droevig.

'Waarom niet in vredesnaam?'

'Omdat ze opoe Jakoba, grootvader Willem en grootmoeder Willemina niet alleen zal willen laten.'

'Maar die moeten ook mee.'

'Dat kunnen ze niet,' zei Sjakie. 'Ze zijn heel oud en ze zijn in twintig jaar niet uit bed geweest.'

'Dan nemen we het hele bed met hen erin mee,' zei meneer Wonka. 'Er is plaats genoeg in de lift.'

'Je zou het bed het huis niet uit kunnen krijgen,' zei opa Jakob, 'het kan niet door de deur.'

'Nooit wanhopen!' riep meneer Wonka. 'Niets is onmogelijk, let maar op!'

De lift zweefde nu boven het dak van het kleine huisje van de familie Stevens.

'Wat gaat u doen?' riep Sjakie.

'Ik ga regelrecht naar binnen om ze te halen,' zei meneer Wonka.

'Hoe dan?' vroeg opa Jakob.

'Door het dak,' zei meneer Wonka en drukte op een andere knop.

'Nee,' schreeuwde Sjakie.

'Pas op!' brulde opa Jakob.

KLATS, BENG! ging de lift, dwars door het dak van het huisje, de slaapkamer van de oudjes in. Een regen van stof, gebroken dakpannen, stukjes hout, kakkerlakken, spinnen, bakstenen en cement daalde neer op de drie oudjes, die in bed lagen en die alle drie stuk voor stuk dachten dat het einde van de wereld gekomen was. Grootmoeder Willemina viel flauw, opoe Jakoba liet haar gebit vallen en grootvader Willem trok de deken over zijn hoofd. Meneer en mevrouw Stevens kwamen uit de andere kamer binnenhollen.

'Red ons!' riep opoe Jakoba.

'Wees maar kalm, mijn brave vrouw,' zei opa en stapte uit de lift, 'wij zijn het maar.'

'Moeder!' riep Sjakie en wierp zich in de armen van mevrouw Stevens. 'Moeder, moeder, moet je horen wat er gebeurd is! We gaan allemaal mee terug en in meneer Wonka's fabriek wonen, en we gaan hem helpen besturen en hij heeft het allemaal aan mij gegeven en... en...'

'Waar heb je 't toch over?' vroeg mevrouw Stevens.

'Kijk nou toch eens naar ons huis,' riep de arme meneer Stevens, 'het is een ruïne.'

'Mijn waarde heer,' zei meneer Wonka, en sprong naar voren om meneer Stevens de hand te schudden, 'ik ben toch zo blij u te ontmoeten. U moet u vooral geen zorgen maken over uw huis. Van nu af aan hebt u het in ieder geval toch niet meer nodig.'

'Wie is deze gevaarlijke gek?' gilde opoe Jakoba. 'Hij had ons allemaal kunnen vermoorden.'

'Dit,' zei opa Jakob, 'is meneer Willie Wonka zelf!'

Het kostte opa Jakob en Sjakie aardig wat tijd om iedereen uit te leggen wat er die hele dag gebeurd was. En zelfs toen weigerden ze nog om met de lift naar de fabriek terug te gaan.

'Ik ga liever in mijn bed dood,' riep opoe Jakoba.

'Anders ik wel,' riep grootmoeder Willemina.

'Ik weiger te gaan,' kondigde grootvader Willem aan.

Dus duwden meneer Wonka, opa Jakob en Sjakie, zonder op hun kreten te letten, het bed de lift in. Ze duwden er meneer en mevrouw Stevens achteraan. Toen stapten ze zelf in en meneer Wonka drukte op een knopje.

De deuren gingen dicht. Grootmoeder Willemina begon te gillen. En de lift verhief zich van de vloer en schoot door het gat van het dak de open lucht in.

Sjakie klom op het bed en probeerde de drie oudjes, die nog steeds verstijfd van angst waren, wat te kalmeren.

'Toe, wees maar niet bang,' zei hij, 'het is volkomen veilig. En we gaan naar de heerlijkste plek op aarde!'

'Sjakie heeft gelijk,' zei opa Jakob.

'Zal daar iets te eten zijn, als we er komen?' vroeg

187

opoe Jakoba. 'Want ik sterf zowat van de honger. De hele familie sterft van de honger.'

'Iets te eten!' riep Sjakie lachend. 'O, jullie zullen niet weten wat je ziet!'